Bindschedler Frick Zwygart **Alexander**

Alexander

oder
Die Aufforderung an Führungskräfte,
Grenzen zu überwinden

Georges Bindschedler
Bruno Frick
Ulrich Zwygart

Verlag Paul Haupt
Bern Stuttgart Wien

Von Herzen danken wir
　　Ursula, Lisa, Beatrice, Stefan, Maya und Annina,
　　Ruth, Tiago und Peter,
　　Lourdes, Gregory, Kimberly und Jennifer,
für ihre Unterstützung. Ihnen ist dieses Buch gewidmet.

Herrn Bundesrat Professor Dr. Arnold Koller
verdanken wir das Vorwort
und den Herren Professor Dr. Rudolf Steiger
und lic. oec. HSG Martin von Walterskirchen
die kritische Durchsicht des Manuskripts.

Unserem Verleger, Herrn Men Haupt, danken wir
für die Beratung und Gestaltung des Buches.

Bern und Einsiedeln, im Januar 1998

　　Georges Bindschedler
　　Bruno Frick
　　Ulrich Zwygart

Die Deutsche Bibliothek – CIP-Einheitsaufnahme:

Bindschedler, Georges:
Alexander: die Aufforderung an Führungskräfte, Grenzen zu
überwinden / Georges Bindschedler / Bruno Frick / Ulrich Zwygart.
Bern; Stuttgart; Wien; Haupt, 1998
ISBN 3 258 05821 0

Gestaltung und Satz: Atelier Mühlberg, Basel

Printed in Switzerland

Inhaltsübersicht

Inhaltsverzeichnis

Die Führungskräfte in Staat und Wirtschaft sind durch den gegenwärtigen Umbruch aufs Höchste gefordert. Einerseits freuen wir uns zu Recht über den Siegeszug von Demokratie, Menschenrechten und Marktwirtschaft. Andererseits bewirken die sich verlagernden volkswirtschaftlichen Wachstumspotentiale, die rasch voranschreitende Konzentration unserer Wirtschaft, andauernde Arbeitslosigkeit und problematische Einkommensverteilungen eine zunehmende Verunsicherung von Volk und Behörden. Globalisierung ist eben nicht nur Marktgesetz, sondern auch ein weltweiter Kampf um Werte. Und es wäre in der Tat fatal, wenn der einmalige Triumphzug, den die Freiheit mit dem Fall der Berliner Mauer weltweit angetreten hat, erneut in der Unfreiheit als unmenschlich empfundener Marktgesetze enden sollte.

In dieser Situation ist es das Verdienst der drei Autoren, erfahrene Praktiker aus Wirtschaft, Politik und Armee, sich in der vorliegenden «case study» um ganzheitliches Denken und Führen, dargestellt am imponierenden historischen Beispiel von Alexander dem Grossen, zu bemühen. Das vorliegende Buch ist also kein fachhistorischer Beitrag zur Altertumswissenschaft und will auch keine neue Biographie des makedonischen Welteroberers sein. Vielmehr geht es darum, an seinem Beispiel aufzuzeigen, worauf der nachhaltige Erfolg einer überzeugenden Führungspersönlichkeit besonders beruht: Ethische Verankerung, strategisches Denken, Fachkompetenz, Entschlusskraft, persönliches Vorbild und die Fähigkeit, Mehrheiten und Vertrauen zu schaffen. Dabei werden wir uns auch bewusst, dass die grundlegenden Erkenntnisse erfolgreicher Führung zeitlos sind.

Eine solch ganzheitliche Sicht der Führung tut gerade heute not und ist zur Überwindung der genannten Herausforderungen wichtiger als eine blosse Managementlehre mehr. Denn wir reden heute zwar alle gerne von vernetztem Denken. Ein Blick auf die Führungspraxis zeigt indes, dass sogar in unserem kleinen Land die Gefahr des Auseinanderdriftens von Politik, Wirtschaft und Armee zum Schaden des Ganzen heute grösser geworden ist und dass wir ob der unbestreitbaren Fortschritte im Führungshandwerk immer mehr vergessen, dass in einem ganzheitlichen Sinn erfolgreiches Führen letztlich eine in jeder Hinsicht anspruchsvolle Kunst bleibt.

Arnold Koller, Bundesrat

Einleitung

Was für ein Mensch war Alexander der Grosse? Wie ist er vorgegangen, wie ist er mit seinen Leuten umgegangen, wie ist er schliesslich Herr über ein Weltreich geworden? Diese und noch viele andere Fragen beschäftigen uns und spornen uns an, seinem Führungsgeheimnis auf die Spur zu kommen und ihn mit anderen Persönlichkeiten aus Wirtschaft, Politik und Armee zu vergleichen. Dabei ist uns klar, dass Alexander nichts Schriftliches hinterlassen hat und dass seine Gedanken uns unbekannt geblieben sind. Der griechische Schriftsteller Arrian hat 400 Jahre nach dem grossen Makedonier aus Primärquellen, die verschollen sind, das heute grundlegende Werk über Alexander geschrieben. Arrian bediente sich der Schriften von Persönlichkeiten, die Alexander zum Teil sehr nahe gestanden und den Zug quer durch Asien mitgemacht hatten.

Es geht uns weder darum, eine streng wissenschaftliche Studie über die weltgeschichtliche Bedeutung Alexanders zu schreiben, noch dessen Charakter und Persönlichkeit als in jeder Beziehung nachahmenswert darzustellen. Alexanders des Grossen Handeln und Wirken dienen lediglich als Ausgangspunkt und Orientierungsgrundlage unserer Betrachtungen über Führung. Das faszinierende Leben Alexanders als Unternehmer im weitesten Sinne des Wortes sowie als Politiker, Stratege und militärischer Führer ist unsere «case study».

Dieses Buch ist der Versuch, anhand einer Persönlichkeit der Weltgeschichte eigenes Führungsverhalten selbstkritisch zu hinterfragen und Anregungen für die eigene Führungsentwicklung zu erhalten. Die Idee stammt aus der Erkenntnis, dass derjenige, der die Zukunft gestalten möchte, vorerst Erkenntnisse aus Erfahrungen der Vergangenheit gewinnen sollte, und dass demnach Geschichte im Allgemeinen und Biographien im Besonderen geeignetes Anschauungsmaterial abgeben.

Alexander der Grosse hat uns in vielerlei Hinsicht inspiriert und uns zum Nachdenken über verschiedene Führungsbereiche angeregt. Einzelne Kapitel sind das Ergebnis einer vertieften Analyse und Diskussion unter den Autoren. Gewisse Themen könnten auch unter verschiedenen Hauptkapiteln abgehandelt werden.

Wer die Zukunft erfolgreich beeinflussen will, muss überlieferte Konventionen und Lehren kritisch analysieren, voraus- und vordenken, eingetretene Pfade verlassen und Neues wagen. Führungskräfte des 21. Jahrhunderts müssen alles daran setzen, ihre eigenen Grenzen und diejenigen ihrer Organisationen auszuloten und, wo nötig und erforderlich, zu überwinden. Erfolge der Zukunft winken demjenigen, der Grenzen überschreitet und Risiken eingeht. Alexanders Leben motiviert uns, über Führung nachzudenken und Grenzen zu erkennen, und spornt uns an, mit Energie und Tatendrang diejenigen Grenzen zu überwinden, die dem Erfolg und dem Wohl der von uns geführten Organisationen im Wege stehen.

Biographische Daten zu Alexander dem Grossen

356 v. Chr. Geburt von Alexander als Sohn des makedonischen Königs Philipp und dessen Frau Olympias. Alexander wird in seiner Jugendzeit vom griechischen Philosophen Aristoteles unterrichtet.

338 v. Chr. Alexander gewinnt bei Chaironeia die Schlacht gegen die Thebaner.

336 v. Chr. Nach der Ermordung von Philipp wird der 20-jährige Alexander König der Makedonier.

335 v. Chr. Alexander zerstört Theben und sichert die makedonische Vormachtstellung in Griechenland.

334 v. Chr. Alexander beginnt den Feldzug gegen das in der damaligen Zeit dominierende Perserreich. Sein Ziel ist die Beherrschung der Welt. Alexander siegt im Mai am Granikos gegen die persischen Satrapen.

333 v. Chr. Sieg Alexanders bei Issos gegen den Perserkönig Dareios.

332 v. Chr. Alexander gewinnt nach den Eroberungen von Tyros und Gaza auch Ägypten.

331 v. Chr. Gründung von Alexandria. Sieg bei Gaugamela gegen Dareios.

330 v. Chr. Babylon, Susa und Persepolis fallen kampflos in Alexanders Hand. Alexander wird als «König von Asien» proklamiert. Antipater, Alexanders Statthalter in Makedonien, schlägt eine von Sparta ausgehende Erhebung nieder.

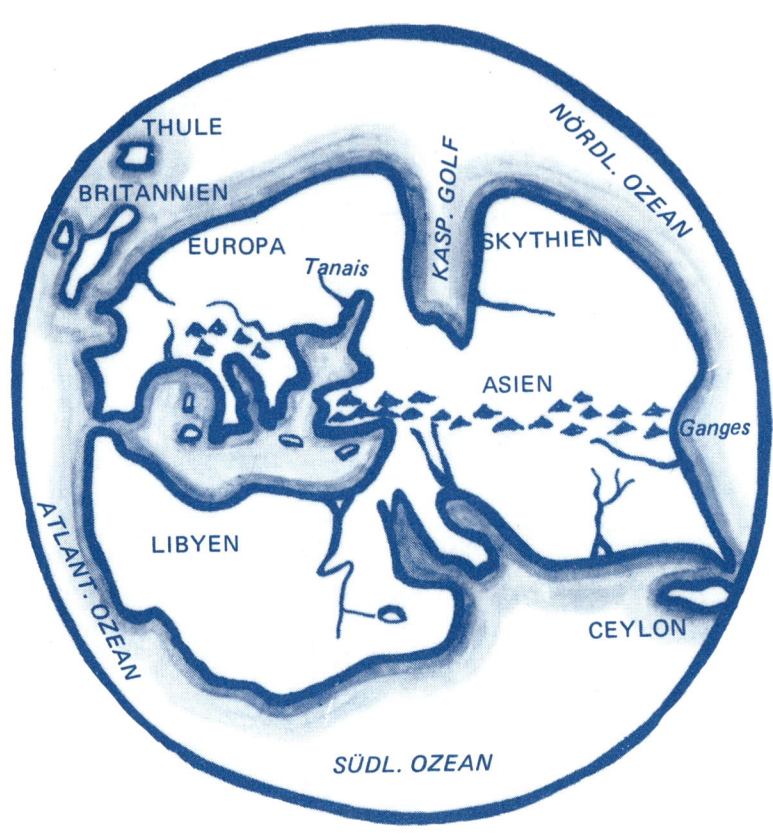

Die Weltkarte des Erastosthenes. 3. Jh. v. Chr.
Sie entsprach dem Weltbild Alexanders des Grossen.

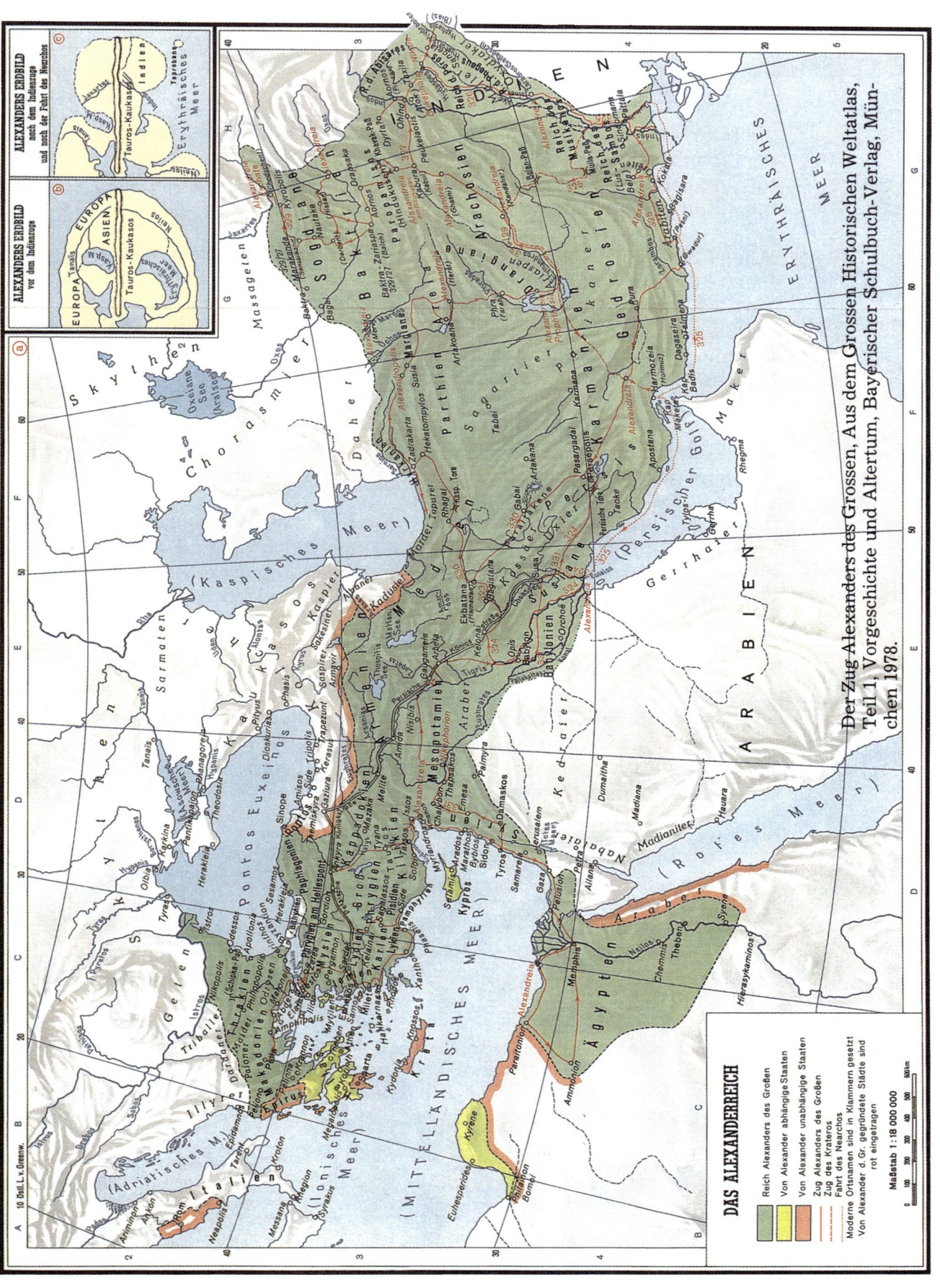

Der Zug Alexanders des Grossen, Aus dem Grossen Historischen Weltatlas, Teil 1, Vorgeschichte und Altertum, Bayerischer Schulbuch-Verlag, München, 1978.

DAS ALEXANDERREICH

Reich Alexanders des Großen
Von Alexander abhängige Staaten
Von Alexander unabhängige Staaten
Zug Alexanders des Großen
Zug des Krateros
Fahrt des Nearchos
Moderne Ortsnamen sind in Klammern gesetzt
Von Alexander d. Gr. gegründete Städte sind
rot eingetragen

Maßstab 1:18 000 000
100 200 300 400 500 600 km

ALEXANDERS ERDBILD
nach dem Indienzuge
und nach der Fahrt des Nearchos

ALEXANDERS ERDBILD
vor dem Indienzuge

Im Zusammenhang mit mehreren Verschwörungen werden die eigenen Heerführer Philotas und Parmenion hingerichtet.

330 v. Chr. – Alexander erobert in schweren Kämpfen die ost-
327 v. Chr. iranischen Provinzen; er stösst bis über den Jaxartes, heute Syr-Daria, vor.

327 v. Chr. – Auf seinem Indienzug unterwirft Alexander die
325 v. Chr. Dynastie des Pundschab und gelangt bis an den Hyphasis, heute Bias. Dort zwingt ihn sein erschöpftes Heer zur Umkehr.

325 v. Chr. – Im Juli 325 v. Chr. erreicht Alexander das Indus-
324 v. Chr. delta, von wo aus die Flotte unter Nearchos den Seeweg durch den Persischen Golf erforscht, während Alexander selber nach verlustreichem Marsch durch die Wüste von Gedrosien, heute Belutschistan, den Westiran erreicht.

Alexander macht sich nun daran, seine Pläne einer ethnischen, kulturellen und politischen Verschmelzung der griechisch-makedonischen und iranischen Völker seines Reiches zu verwirklichen. Er will die Perser als Stützen seiner Herrschaft heranziehen. Die Politik des Ausgleichs und die Gleichstellung der Perser empört aber seine eigenen Makedonen. Es kommt zur Meuterei des Heeres bei Opis.

323 v. Chr. Alexander stirbt im 33. Altersjahr in Babylon während den Vorbereitungen zu einer Umseglung Arabiens.
Nach Alexanders Tod zerfällt sein Reich in den Diadochenkämpfen. Auch seine Pläne zur Verschmelzung der Völker werden rasch aufgegeben.

Alexanders Kriegszüge haben jedoch neue Räume erschlossen und die Entstehung eines Welthandels und -verkehrs ermöglicht. Die griechische Sprache und Kultur wird durch die Gründung von mehr als 70 Städten weit verbreitet und verschmilzt durch die Aufnahme von orientalischen Elementen zu einer hellenistischen «Weltkultur».[1]

1 Alexanders Vermächtnis – Grenzen überwinden (Executive Summary)

Aussergewöhnliche Erfolge erzielt der Mensch meist dann, wenn er neue Wege geht und die gewohnten Pfade verlässt. Die Erfolge grosser Persönlichkeiten, seien es Unternehmer, politische oder militärische Führer, Forscher, Entdecker oder Künstler, basieren vor allem darauf, dass sie über die Grenzen vorstiessen, welche die bisherigen Theorien, gängige Konventionen, Routine oder Erfahrungen gesetzt hatten. Alexander hat Grenzen überwunden. Er hat das Perserreich, das damals mächtigste Land, herausgefordert und bezwungen. Er hat für den Hellenismus, für den wirtschaftlichen und kulturellen Austausch und für die Wissenschaft neue Gebiete, Völker und Kulturen erschlossen. Und er hat seine ganze Persönlichkeit dafür eingesetzt, dass die überlieferte Vorstellung vom Gegensatz zwischen «Herrschermenschen» und «Barbaren» überwunden werde.

Grenzen sprengen – nicht Gesetze brechen

Grenzen sprengen, ist beileibe nicht nur Sache eines Alexanders. Jede Tätigkeit und jeder Verantwortungsbereich erlauben, Grenzen zu überwinden. Darin liegt der Unterschied zwischen Manager und Leader: Manager wenden Regeln buchstabengetreu an, Führungskräfte sprengen sie. Der Manager verharrt im Rahmen der gegebenen Rahmenbedingungen und leitet so die täglichen Geschäfte. Wer aber im gesetzten Raum bleibt, gewinnt keinen Durchbruch und keinen aussergewöhnlichen Erfolg. Grenzen überwinden bedeutet nicht Gesetze brechen oder verletzen. Es geht um die Abkehr von Konventionen und Routine. Führungskräfte müssen sich im Rahmen des Rechts bewegen. Hingegen kann es nötig sein, die Grenzen des Erlaubten auszuloten, sie gar zu ritzen. Notfalls muss die Führungskraft auch den Mut und die Energie aufbringen, diese Grenzen nach gesetzmässigen Kriterien und Vorgängen zu verschieben oder zu ändern.

Tatkraft

Grenzen zu sprengen, verlangt persönliche Voraussetzungen, die von jeder Führungskraft selber zu erarbeiten sind.

Eine erste und entscheidende Voraussetzung ist die Tatkraft, der starke innere Wille nach aktiver Gestaltung und Veränderung. Jeder Mensch hat, je nach Veranlagung und Erfahrung, ein stärkeres Bedürfnis nach Ordnung und Sicherheit. Geistiges Heimweh nach bewährten Mustern sind in jedem Menschen. Sie gilt es zu überwinden.

Risiko als Chance

Wirksame Führungskräfte messen dem Sicherheitsdenken nicht erste Priorität bei. Sie wägen wohl das Risiko sorgfältig ab, sind sich aber bewusst, dass sich ausserordentliche Erfolge nur dann einstellen, wenn das Risiko vorhanden ist. Sie betrachten das Risiko als besondere, erfolgversprechende Chance

Freude am Experimentieren

Neues entsteht aus Freude am Experimentieren. Unternehmer, Wissenschaftler und Künstler wissen, dass die erfolgreiche Idee nie die einzige ist, sondern jene, die sich unter vielen anderen als die beste erweist. Fällt eine Idee durch, so steigen die Erfolgschancen der nächsten. Mehrere kleine Misserfolge ergeben so die Voraussetzung für den späteren Gesamterfolg. Jede Idee reisst eine Grenze auf und öffnet neue Türen, bis schliesslich eine oder mehrere zusammen den Weg zum Erfolg ebnen. Führungskräfte sind lösungs-, nicht problemorientiert: «Es geht nicht», sagen Führungskräfte erst nach hartnäckigen Versuchen, und wenn sie es aussprechen, ist es die Aufforderung an sich selbst, mit neuen Lösungsansätzen den Erfolg zu suchen.

Disziplin und Ordnung

Erfolgreiche Führungskräfte sind diszipliniert. Sie halten Ordnung mit sich selber und mit ihren Tätigkeiten. Sie organisieren sich, ihre Agenda und ihr unmittelbares Umfeld so, dass sie nicht im Strudel der Tagesgeschäfte untergehen. Sie haben immer Zeit, weil sie sich immer wieder von neuem Zeitreserven schaffen: Zeit für das (strategische) Nach- und Vordenken und Zeit für andere Menschen.

Gegensätze vereinen

Führungskräfte vereinen Gegensätze: Sie strahlen Selbstsicherheit aus, überzeugen und schaffen Vertrauen. Doch Leader leiden und Leader zweifeln auch. Davon wissen meist nur sie selbst und ihr engster Kreis. Es gibt keine grosse politische, wirtschaftliche, militärische, sportliche oder künstlerische Leistung und keinen aussergewöhnlichen Erfolg, die nicht erleidet werden müssen. Führungskräften wird der Erfolg nicht geschenkt. Das Publikum nimmt meist nur den Erfolg wahr als Ziel eines langen Weges, nicht aber die Rückschläge und Misserfolge auf dem Weg dorthin. Führungskräfte vereinen innere Ruhe und nach aussen gerichtete, Unruhe schaffende Tatkraft. Grenzen überschreiten kann nur, wer innere Stabilität und starke Wurzeln hat, aus denen er Kraft zur Tat schöpft. Erfolgreiche Menschen werden von ihrer eigenen Stabilität getragen. Innere Ruhe und nach aussen gerichtete Tatkraft sind nur vordergründige Gegensätze. Wer zu neuen Ufern aufbrechen will, benötigt innere Ruhe und Musse. Hektische Personen irren auf dem Weg umher, aber sie verlassen ihn nicht. Nicht operative Hektik, sondern strategische Musse zeichnen Führungskräfte aus. Nur wer in innerer Ruhe abwägt, wägt genau.

Selbstvertrauen

Grenzen überwindet schliesslich nur, wer in sich genug Vertrauen trägt, auch jenseits der Grenze zu bestehen. Alles Erfolgreiche ist einmal erstmalig, und immer sind Führungskräfte auf ihrem Weg einsam. Sie sind einsam, weil sie selbstbewusst das tun, was andere nicht wagen oder nicht als erfolgversprechend erkennen.

Die Organisation positiv beeinflussen

Führungskräfte sind Lokomotiven. Sie stossen nicht, sie ziehen. Sie prägen mit ihren Gedanken und ihren Handlungen ihre Umgebung und schaffen einen besonderen «esprit de corps» oder eine positive (Unternehmens-)Kultur. In einem derart inspirierten Umfeld wird initiatives Handeln nicht bestraft, sondern belohnt, und Risiken werden nicht als Gefahren, sondern als Chancen eingestuft.

Selbsterkenntnis und Arbeit an sich selber

Grenzen überwinden ist nicht einem Alexander und anderen Genies vorenthalten. Jeder hat seine Grenzen, die es aufzureissen gilt, und (fast) jeder besitzt Eigenschaften, sie zu sprengen. Dies setzt

Selbsterkenntnis und Arbeit an sich voraus. Wer sich darum bemüht, ist bereits unterwegs. Er sprengt die Grenzen des Managers, des Verwalters oder des Sachwalters und wandelt sich zur Führungskraft – einer Führungskraft im Sinne von Alexanders Vermächtnis.

Wie, auf welche Weise und mit welchen Mitteln hat Alexander seine Unterstellten geführt, sich andere Herrscher zunutze gemacht und generell auf andere Menschen gewirkt? – Wir haben mehrere Führungseigenschaften und Führungstechniken ausgewählt, die unseres Erachtens für das Führungsverständnis von Alexander zentral sind: Ethik, Beispiel, Vertrauen, Treue und Fürsorge, Kompetenz und Entschlusskraft; Ziele, Reden, Schläge und Sanktionen, Symbolik.

Es geht uns keineswegs darum, einzelne Führungseigenschaften zu glorifizieren oder sogar zu mystifizieren. Wir verfolgen einzig die Absicht, die Führungspersönlichkeit Alexanders darzustellen und kritisch zu würdigen.[2]

Ethik

«Den Bürgern von Sardes und den übrigen Lydern erlaubte er, weiter nach den alten Bräuchen ihres Volkes zu leben, und gab allen die Freiheit.»[3]

«Überall lässt er die Oligarchien auflösen und Demokratien einrichten und den einzelnen Städten ihren Besitz wiedergeben; auch die Tribute erlässt er ihnen, die sie den Barbaren hätten leisten müssen.»[4]

Alexanders Ziel war ein Weltreich unter seiner Führung. Sein Siegeszug durch ganz Asien bezweckte nicht Unterwerfung oder Versklavung, sondern Eingliederung der Völker in ein Universalreich.

Alexander übertraf in diesem Punkt seinen Lehrmeister Aristoteles. Hatte jener noch die Überlegenheit der hellenistischen Kultur gegenüber den «Barbaren» im Osten als Wahrheit verkündet, zollte Alexander den anderen Völkern Respekt und Achtung. Er ging sogar dazu über, persische Sitten und Gebräuche zu übernehmen, trug die medische Tracht und liess sich durch Kniefall ehren. Die Verschmelzung der Kulturen gipfelte in Städtegründungen und einer Siedlungspolitik, die Anwohner und Invalide seines Heeres verband. Die berühmte Massenhochzeit von Susa, die nach persischem Brauch gefeiert wurde und über 10 000 Paare (Makedonen und Einheimische) umfasst haben soll, war ein die Zeiten überdauerndes Zeichen Alexanders, wie er sein Weltreich kraft Versöhnung und Verschmelzung aufbauen wollte. Als er auch «Barbaren» in das Makedonische Heer aufnahm, überspannte er für viele seiner Soldaten den Bogen, und es kam zur berühmten Meuterei des Heeres bei Opis. Alexander setzte sich aber durch.

Zur Zeit des amerikanischen Unabhängigkeitskriegs bestand die britische Strategie darin, nach und nach jeweils einen Teil von jeder der dreizehn Kolonien unter ihre Kontrolle zu bringen. Die britische Armee sollte ein Gebiet erobern, und Milizionäre, die England treu geblieben waren, sollten dieses anschliessend halten. Die Briten boten in New Jersey jedem Straffreiheit an, der bereit war, der Krone die Treue zu schwören. Eine grosse Zahl von Menschen tat dies, um ihre Häuser und Farmen behalten zu können. Als aber im Januar 1777 die Kontinentalarmee die Kontrolle über New Jersey hatte, musste George Washington über das Schicksal der zu den Briten übergelaufenen Leute entscheiden. «Hardliners» betrachteten die Kollaborateure als Verräter und verlangten deren Bestrafung. Stattdessen gab Washington folgendes bekannt: Wer den Briten die Treue geschworen habe, könne im nächstgelegenen militärischen Hauptquartier vorsprechen und einen Treueeid gegenüber den Vereinigten Staaten ablegen; dann sei alles vergeben. Derjenige aber, der den Vereinigten Staaten nicht die Treue schwören wolle und sich nicht am Krieg gegen die Kontinentalarmee beteiligt habe, werde zu den britischen Linien eskortiert und dürfe Land und Eigentum behalten. Mit diesem Entscheid vermied George Washington die Schaffung von Märtyrern und die Polarisierung der Bevölkerung.[5]

Die Deutschen empfanden den Versailler Frieden, der den Ersten Weltkrieg beendete, mehrheitlich als ungerecht. Denn der Friedensvertrag bezeichnete Deutschland als für den Krieg verantwortlich und verpflichtete die deutsche Regierung zu hohen Reparationszahlungen. Die Enttäuschung über dieses Diktat führte unter anderem zur Krise der Demokratie und erleichterte die Machtergreifung Hitlers. Nach dem Zweiten Weltkrieg waren die westlichen Alliierten mehrheitlich der Auffassung, dass dem besiegten Deutschland die Möglichkeit der politischen, wirtschaftlichen und später auch militärischen Integration zu verschaffen sei. George C. Marshall entwarf ein europäisches Wiederaufbauprogramm mit Lieferung von Rohstoffen, Waren und Kapital und verhalf damit Deutschland und dem übrigen Westeuropa zu wirtschaftlichem Aufschwung.

General Norman Schwarzkopf, bekannt für seine offene und direkte Art, hatte bereits in seiner Jugendzeit von seinem Vater gelernt, anderen Kulturen gegenüber respektvoll aufzutreten. Als Berater der vietnamesischen Armee ass er dieselben Speisen und schlief am gleichen Ort wie seine Gastgeber, was ihm zu hohem Ansehen verhalf. Während des Golfkrieges gelang es ihm, die heterogene Koalition zusammenzuhalten, die religiösen Gefühle der Araber zu respektieren und überdies das Vertrauen von Prinz Khalid von Saudi-Arabien zu erlangen, der unter den arabischen Militärs wohl das grösste Ansehen genoss, jedoch als eher schwierige Persönlichkeit galt. Während Stunden sass Schwarzkopf mit seinen arabischen Gastgebern zusammen, trank Tee und tauschte Höflichkeiten aus.[6]

Alexander, Washington, Marshall und Schwarzkopf haben sich bemüht, die menschliche Natur sowie eine gegebene Situation und die sich daraus ergebenden Chancen und Risiken zu verstehen. Wollen wir es Weisheit nennen oder ethisch motiviertes Verhalten? Sicher gründet dieses Verhalten auf Bescheidenheit, Anstand, Verständnis, Toleranz sowie Respekt vor anderen Menschen und Kulturen. Es ist nicht damit getan, die Sprache anderer Menschen zu sprechen; es geht um ein tieferes Verständnis der menschlichen Psyche und anderer Sitten und Gebräuche. Dazu ist Studium, Zeit und Geduld erforderlich. Der Aufwand lohnt sich, denn Führungskräfte, die ethisch verantwortungsvoll handeln, haben eine erweiterte Ausstrahlung, Legitimation und Glaubwürdigkeit.

Alexanders Versöhnungspolitik war nur erfolgreich solange er lebte. Trotzdem wäre es unzutreffend zu behaupten, nach Alexanders Tod sei alles von ihm Erschaffene zusammengebrochen. Rein äusserlich, machtpolitisch betrachtet, mag es richtig sein. Viel bedeutsamer sind aber Alexanders Verdienste im Ausdehnen des Hellenismus, welcher die Verbreitung des Christentums erst ermöglichte.[7] Durch das Aufreissen von Grenzen schuf Alexander die Voraussetzungen für den wirtschaftlichen und kulturellen Austausch zwischen Ost und West. Nicht zuletzt war das ein Ergebnis seiner Versöhnungspolitik, welche heute, im Zeitalter der «Globalisierung» und des «Krieges der Kulturen», neue Dimensionen und erneute Aktualität erhält.

Versöhnung ist mehr als nur Toleranz und Respekt. Versöhnung hat etwas Religiöses und Endzeitliches an sich. Vermutlich ist sie deshalb zu Lebzeiten eines einzigen Menschen kaum realisierbar. Mahatma Gandhi, Martin Luther King jr., Papst Johannes XXIII. und andere standen nur relativ kurze Zeit im Rampenlicht der Weltöffentlichkeit, um Versöhnung zwischen Menschen und Bevölkerungsgruppen in grösserem Stil zu verwirklichen. Den Begründern der grossen Weltreligionen, Jesus, Mohammed und Buddha, erging es nicht wesentlich anders. Doch ihr Beispiel und ihre Führungsrolle strahlen weiter aus.

Beispiel

> «Wenn ihr nun unter meiner Führung Stra-
> pazen und Gefahren hättet durchmachen
> müssen, während ich selber von aller Not und
> Gefahren verschont geblieben wäre, dann wür-
> de freilich mit gutem Grunde euer Mut vor
> der Zeit erlahmen, wenn nur ihr tausend
> Gefahren bestehen und den Kampfpreis dafür
> anderen überlassen müsstest; nun haben wir
> ja alle Nöte gemeinsam durchgemacht, diesel-
> ben Gefahren bestanden, und die Kampfpreise
> kommen uns allen zugute.»

(aus Alexanders Rede anlässlich der Kriegsmüdigkeit
seines Heeres,[8] Anm. der Autoren)

Das Beispiel Alexanders ist einzigartig in der Weltgeschichte. Mehr als zwölf Jahre lang teilte er das Schicksal seiner Soldaten, immer war er an vorderster Front dabei, sei es bei den entscheidenden Schlachten gegen die Perser, im Gebirgs- oder Guerillakampf, bei Belagerungen, sei es auf den abenteuerlichen und strapaziösen Verfolgungsjagden, den Wüstendurchquerungen und den Flussfahrten. Er spornte durch sein Beispiel an, führte – weit sichtbar für Freund und Feind in seiner typischen Rüstung mit dem weissen Helmbusch – von vorne, wie es nach ihm kein Heerführer, nicht einmal der legendäre Rommel, vorgelebt hat. Sein Mut war grenzenlos. Er schonte sich nie und holte sich mehrere, zum Teil sehr schwere Verwundungen, die vielleicht – zusammen mit einer Krankheit (Malaria?) und einer allgemeinen Überanstrengung des Körpers – mitverantwortlich für seinen frühen Tod waren.[9]

Alexander war sich seines Beispiels durchaus bewusst und warf es, sofern notwendig, auch in die Waagschale, wie das eingangs aufgeführte Zitat belegt. Hier werden die Grenzen des persönlichen Beispiels sichtbar. Das Beispiel eines Menschen kann anspornen, ein Feuer entfachen und andere mitreissen. Extrem beispielhafte

Menschen, wie es Alexander war, können aber so dominant und schicksalhaft für viele werden, dass bei ihrem Ausfall die gesamte Aktion ins Stocken gerät oder sogar endet. Erkrankungen, Verwundungen und der Tod Alexanders belegen dies. Zudem gibt es Situationen – wie die Kriegsmüdigkeit des Heeres am Hyphasis –, wo auch ein noch so leuchtendes, aber oft auch waghalsiges Beispiel nicht mehr zu überzeugen vermag.

Für heutige Führungskräfte ist nicht Alexanders Wagemut während Gefechtseinsätzen erstrebenswert, sondern das Beispiel, das er Tag für Tag gab: Auch als oberster Feldherr und König war er präsent, für alle gegenwärtig und fassbar. Er lebte in und für seine Organisation, er lebte seine Vision und Ziele vor. Alexander wirkte beispielhaft, weil er die Einheit von Botschaft und Person verkörperte.

Ähnliches lebte George Washington vor. Im März 1783 war nicht mehr England der grösste Feind von Unabhängigkeit und Freiheit. Einige einflussreiche Offiziere waren es, die den Sturz der Regierung und die Machtübernahme durch die Armee vorbereiteten, weil aufgrund der Zahlungsunfähigkeit der Regierung die Soldaten nicht entschädigt werden konnten. Washington jedoch lehnte es ab, sich an die Spitze der revoltierenden Armee zu stellen. In einer Rede argumentierte Washington, der Sturz der Regierung würde nur den Familien der Soldaten schaden, und versprach, sich persönlich dafür einzusetzen, dass allen Gerechtigkeit widerfahre. Als er eine weitere Passage vorlesen wollte, war die Handschrift zu klein für sein Augenlicht, und er griff in die Tasche, um seine Brille hervorzuholen. Während er sie aufsetzte, sagte er: «Ich hoffe, Sie verzeihen, Gentlemen. Offenbar bin ich im Dienste an meinem Lande nicht nur ergraut, sondern verliere ausserdem noch mein Augenlicht.» Diese bescheidene, demütige Aussage Washingtons änderte den Ausgang des Treffens. Angeregt von Washingtons Beispiel, beschlossen die Offiziere zu warten, bis der Kongress gehandelt hatte. Thomas Jefferson sagte später: «Die Zurückhaltung und Tugendhaftigkeit, die beispielsweise in Washingtons Charakter verkörpert waren, verhinderten darüber hinaus, dass diese Revolution so endete, wie die meisten anderen, nämlich in der Vernichtung der Freiheit, die sie erringen sollte.»[10]

Wieso sind uns Namen wie Rommel und Patton noch heute geläufig? Weil beide im Krieg das vorlebten, was sie von ihren Generälen forderten. Ihr Drang nach vorne schien nie zu erlahmen. Nicht von ungefähr haben sich gerade um diese beiden Namen Bonmots erhalten, wie «Wo Rommel ist, ist vorne» und «For god's sake, give us gas!»

Auch unternehmerische Erfolge sind auf die vorgelebte Identität von Firma und Führung zurückzuführen. Als Ken Levy, der CEO von KLA Instruments, sein Unternehmen durch schwierige Zeiten steuerte, eröffnete er eine Direktionssitzung wie folgt: «Heute gebe ich eine Gehaltsminderung von 10% für alle Mitarbeiter bekannt. Weil ich mehr verdiene als die meisten im Unternehmen, streiche ich mein Gehalt um 20%.»[11] Solche Taten verschaffen dem Führer die Anerkennung seiner Mitarbeiter, motivieren und überzeugen sie von der Notwendigkeit der Einsparung.

Margaret Thatcher lebte ihren Glauben an den neo-liberalen, konservativen Erfolg so wie Charles de Gaulle sein Festhalten an der Grösse Frankreichs. Als sie sich ihrer Gefolgschaft nicht mehr sicher waren, traten sie zurück.

Ende 1997 wollte der Bundesrat auch bei den Löhnen der Beamten sparen. Der Bundesrat war bereit, bei sich selber eine Kürzung von 3% vorzunehmen. Damit setzte er für die Beamtenschaft ein positives Zeichen. Das Parlament lehnte es aber ab, bei seinen eigenen Bezügen zu sparen, was in der Öffentlichkeit auf Unverständnis stiess.

Ob Unternehmer, Politiker oder General, für alle Führende gilt, dass das Beispiel, nämlich die Einheit von Botschaft und Person oder die Verkörperung der verkündeten Ziele, entscheidend sein kann für das Gelingen der Sache selbst: Wer Wasser predigt, darf nicht Wein trinken.[12]

Beispielhaftes Verhalten besteht darin, als Führungskraft die eigene Position nicht als Ausdruck der Macht, sondern als Ausdruck vorläufig gewährten Vertrauens zu betrachten. Es geht nicht um Privilegien, wie ein reservierter Parkplatz, eine bevorzugte Büroausstattung, exklusiver Zutritt zu bestimmten Etablissements oder eine begrenzte Präsenzpflicht,[13] sondern um verantwortungsbewusstes Führen, wie Respekt vor den Mitarbeitern, Zuhören und mit Kritik umgehen können. Wer von anderen Menschen verlangt, dass sie ihm folgen, vielleicht sogar – wie im Krieg – in den Tod, der muss glaubwürdig sein. Führungskräfte müssen keine Heiligen sein, aber ihr vorgelebtes Beispiel widerspiegelt die Geschichte ihres Erfolgs oder Misserfolgs.

Vertrauen, Treue und Fürsorge

> «Am folgenden Tag (nach der Schlacht bei Issos, Anm. der Autoren) besuchte Alexander, obgleich er selber durch einen Schwerthieb am Oberschenkel verletzt war, die Verwundeten; er liess auch die Leichen der Gefallenen sammeln und bestattete sie in grossartiger Weise…»[14]

Wie sehr Alexander seinen Getreuen vertraute, zeigt eine Geschichte, die Arrian erzählt: Im Augenblick, als der Arzt Philippos dem kranken König ein Medikament verabreichen wollte, erhielt Alexander einen Brief von Parmenion, er möge sich vor diesem Philippos hüten. Denn Parmenion habe gehört, Philippos sei von Dareios bestochen worden, Alexander zu vergiften. Alexander, der den Brief gelesen und noch in der Hand hatte, nahm ruhig den Becher, in dem die Arznei war. Den Brief aber gab er Philippos zu lesen. Alexander trank die Arznei, und Philippos las den Brief des Parmenion. Da habe sich sofort deutlich gezeigt, dass Philippos bei seiner Medizin ein vollkommen gutes Gewissen hatte. Denn er sei durch den Brief überhaupt nicht erschrocken gewesen. Daraufhin soll Alexander dem Philippos gesagt haben, dass er ihm wie auch den anderen Männern seiner Umgebung ein treuer Freund sei, dass sich seine Freunde gegenüber Verleumdungen fest auf ihn verlassen könnten und dass er selbst dem Tode gelassen ins Antlitz sähe.[15]

Alexander fühlte sich seinen Freunden und seinen Soldaten fürsorglich verbunden. Dasselbe gilt auch für die Bevölkerung und für den (geschlagenen) Gegner. Beispiele für die Fürsorge gegenüber den Soldaten sind die Beurlaubung der jung Verheirateten, damit diese den Winter in Makedonien bei ihren Frauen zubringen konnten, die Rücksendung der Alten und Invaliden bei Opis sowie die vor den grossen Schlachten jeweils angeordneten Massnahmen, sich zu verpflegen und auszuruhen sowie – nach geschlagener Schlacht – die Ehrerbietung Alexanders für Verwundete, Tote, auch des Gegners, und Gefangene. Nach der Schlacht am Granikos verlieh er den Eltern und Kindern seiner Gefallenen Abgabenfreiheit von ihren Bodenerzeugnissen und Erlass etwaiger anderer Verpflichtungen; die Feldherren der Perser liess er bestatten.[16] Nach der Schlacht bei Issos kümmerte er sich um die in Gefangenschaft geratene Mutter, Frau und Kinder des Dareios; er sandte sogar seinen Getreuen Leonnatus zu Dareios, um diesem zu sagen, dass er ihnen eine königliche Behandlung zusichere.[17] In Indien liess er mit Hilfe des Heeres die Häuser, die durch die Monsunregen sehr gelitten hatten, wiederaufbauen, und in Assyrien korrigierte er den Abfluss des Euphrats zu Gunsten der notleidenden Bevölkerung.

Alexander war gegenüber seinen Freunden und Soldaten freigebig bis zur Überschwenglichkeit.[18] Man kann seiner Grosszügigkeit altruistische Züge nicht absprechen, doch war sie für Alexander auch ein Mittel, andere an sich zu binden oder für seine Ziele zu gewinnen: Nach der Schlacht am Granikos sandte er 300 persische Rüstungen nach Athen, um den Griechen zu beweisen, dass sein Erfolg auch der ihrige sei; bei der Belagerung von Tyros zeichnete er diejenigen mit Geldgeschenken aus, welche sich durch eine besondere Arbeitsleistung hervortaten; bei Susa wurden jedem Soldat die Schulden erlassen.

Konosuke Matsushita, der Gründer des japanischen Elektrogiganten General Electric, schenkte wohltätigen Organisationen über 290 Mio Dollars aus eigener Tasche und an die 100 Mio Dollars aus firmeneigenem Vermögen. Während in Japan Vergabungen reicher Persönlichkeiten an öffentliche oder private Institute keine Tradition haben, werden karitative oder einer breiteren Allgemeinheit zufliessende Zuwendungen im Westen von Privaten erwartet. Wir nehmen gerne zur Kenntnis, dass der US-Milliardär Turner der UNO während zehn Jahren jährlich ca. 100 Millionen Dollar zukommen lassen will. Nicht nur Privatpersonen, sondern auch viele Unternehmen leisten tatsächlich weltweit namhafte Zahlungen für wohltätige Zwecke. Dabei vergessen wir manchmal, dass nur ein florierendes Unternehmen grosszügig sein kann.

Jede Führungskraft steht in einem Spannungsfeld zwischen der Zielerreichung oder Auftragserfüllung gegenüber der Gesamtorganisation und den ihm anvertrauten Menschen. Loyale und integre Führungskräfte fühlen diesen Konflikt zwischen Härte und Herz. Insbesondere militärische Führer müssen sich in Krisen- und Kriegszeiten bewusst sein, dass sie streng und konsequent, das heisst mit Härte, auf die Auftragserfüllung hinarbeiten müssen, bei gleichzeitiger Schonung ihrer Truppe. General Franks hat diese Verantwortung gegenüber den Soldaten im Vietnamkrieg stets wahrgenommen: «He did not want his growth to be at the expense of the soldiers. Over the next nine months of combat, he would form some very definitive thoughts about how to win at least cost to his soldiers. Some were confirmations of things he'd developed from previous experience in training, education, and command. Some were a direct result of seeing what worked in combat. They were both parts of being a soldier – matters of the mind and matters of the heart. For soldiering involves the thinking and intense problem solving, but it is also an intensely passionate profession, because in command, in order to do your duty, you put in harm's way that which you have to come to love so much – your soldiers.»[19] Seine Hingabe zu Auftrag und Truppe beweist der militärische Führer dann, wenn er sich mit ganzer Kraft der einsatz-

oder gefechtsnahen Ausbildung widmet, getreu dem Ausspruch Rommels, dass erstklassige Ausbildung die beste Form von Fürsorge für die Truppe sei.

In unserer Zeit hat die Fürsorge gegenüber den Mitarbeitern grosse Kreise gezogen und weite Dimensionen angenommen. Sie reicht von der Unfallversicherung bis zur Altersvorsorge, vom Personalrestaurant bis zu den firmeneigenen Tennisplätzen. Den Grundsatz des «taking care of the people» haben sich viele grössere Organisationen, darunter auch professionelle Streitkräfte, auf die Fahnen geschrieben. Zu recht, wie wir meinen, denn die Verantwortung einer Organisation für ihre Angestellten darf sich nicht in der Zuweisung von Arbeit und in der Entlöhnung erschöpfen. Es bleibt die Frage, ob unsere fürsorglichen Bemühungen nicht einseitig nur im Materiellen stehenbleiben. Wie steht es um die Fürsorge des unmittelbaren Chefs gegenüber seinen direkten Mitarbeitern im Alltag? Wie steht es um die Fürsorge der obersten Unternehmensführung gegenüber der Belegschaft in Krisenzeiten?

1929 war auch Konosuke Matsushitas Unternehmen von der weltweiten Depression betroffen. Überall entliessen die Firmen tausende und schlossen Produktionsstätten. Nicht so Matsushita: Er reduzierte die Produktion um die Hälfte und arbeitete in den Fabriken nur noch den halben Tag. Dafür entliess er keinen einzigen Arbeiter; diese mussten aber auf ihre Ferien verzichten und selber aktiv mithelfen, die in den Lagerhäusern befindlichen Überbestände zu verkaufen. Die Belegschaft stimmte diesem Vorgehen zu. Diese Massnahmen erwiesen sich dank der in den zwanziger Jahren aufgebauten Verteilerorganisation und vor allem dank dem guten Ruf bei den Kunden als geeignet, um die Krise zu überwinden. Bereits im Februar 1930 wurde wieder ganztags gearbeitet.[20]

In der Wirtschaftskrise der 30er Jahre soll der Waschmittelfabrikant Heinrich Steinfels in Zürich oftmals angeordnet haben, produzierte Seifen neu zu sieden. Er vermied so Entlassungen und verzichtete in schwieriger Zeit auf einen erheblichen Teil seines Gewinns.

Fürsorge bedeutet vor allem auch Achtung vor den Mitarbeitern. Bob Galvin, CEO von Motorola, berichtet folgende Geschichte über seinen Vater, den Begründer von Motorola: «Vater schaute einmal die Frauen an einem Fliessband an und dachte bei sich: ‹Sie sind alle wie meine eigene Mutter – sie haben Kinder, ein Zuhause, um das sie sich kümmern müssen, und Menschen, die sie brauchen.› Das spornte ihn an, sich ganz einzusetzen, um ihnen ein besseres Leben zu ermöglichen, weil er in ihnen allen seine Mutter sah.»[21]

Selbstverständlich kann kein Unternehmer Mitarbeiter nach Belieben beschäftigen, und jedes Unternehmen ist auf Gewinn und guten Aktienkurs auszurichten. Doch die Kriterien, nach denen heute Grossunternehmen für den globalen Wettbewerb fit gemacht und fusioniert werden, lassen den Schluss zu, dass die Fürsorge für die Mitarbeiter in der heutigen Wettbewerbs-Philosophie ein Kriterium zweiter Stufe geworden ist. Auf oberster Stufe stehen Gewinnmaximierung und Steigerung des Unternehmenswertes (Shareholder-Value). Mitarbeiter dürfen aber nicht nur als Produktions- und Kostenfaktor betrachtet werden. Es geht uns um die Werte. Gewinn- und Kursmaximierung dürfen nicht alleiniges und auch nicht prioritäres Ziel der Unternehmer sein. Die Mitarbeiter, ihr Arbeitsplatz und ihr psychisches Befinden stehen auf gleicher Stufe der Werteskala. Mitarbeiter sind mehr als nur ein Kostenfaktor; sie sind gleichwertige Entscheidungsfaktoren wie Gewinn- und Kurssteigerung. Auch Grossunternehmer haben nicht bloss eine Gewinn-, sondern auch eine gesellschaftliche Verantwortung.

Im Lichte dieser Werte ist die Frage berechtigt, ob bei den jüngsten Grossfusionen in der Schweiz für die Mitarbeiterinnen und Mitarbeiter die richtigen Massnahmen getroffen wurden. So plante die neue United Bank of Switzerland UBS in ihrer ersten Ankündigung allein in der Schweiz neben den natürlichen Personalabgängen und Frühpensionierungen gegen 2000 Entlassungen – eine Zahl, die nach den öffentlichen Diskussionen freilich reduziert wurde. Wir meinen, dass deren Weiterbeschäftigung in der weltweit zweitgrössten Bank einen höheren Stellenwert einnehmen müsste, zumal die gesamten Arbeitsplatzkosten dieser Personen nur wenige Prozent der erwarteten Gewinnsteigerung betragen.

Als Unternehmer erfolgreich zu sein und der Fürsorge für die Mitarbeiter einen hohen Stellenwert einzuräumen, sind auch heute keine Gegensätze. Als Landis & Gyr das Werk Einsiedeln vor drei Jahren nicht mehr halten konnte und auch eine Liquidation zur Diskussion stand, nahmen Vertreter von Einsiedeln und des Kantons Schwyz Verhandlungen mit der Konzernleitung und mit Stephan Schmidheiny als Konzerneigentümer auf. Landys & Gyr willigte in einen Verkauf an die heutigen Werkeigentümer ein und verpflichtete sich zudem, als Übergangslösung die Produktion zu einem erheblichen Teil abzunehmen. Heute scheint der Weiterbestand des Werkes gesichert zu sein. So retteten Stephan Schmidheiny und seine Konzernleitung über 200 Arbeitsplätze. Er liess sich das Ganze eine zweistellige Millionensumme kosten. Die Fürsorge für die Mitmenschen in seinem Wohnkanton war ihm ebenso wichtig, wie ein optimaler Unternehmensgewinn und Verkaufserlös.

Kompetenz und Entschlusskraft

> «… keine Mühe und Anstrengung scheute er; blitzschnell fasste er die Dinge auf, und ebenso rasch waren seine Entschlüsse. Er war der tapferste, ehrgeizigste und gefahrliebendste Mensch und frömmster Gottesverehrer. Die Lüste des Körpers hatte er vollkommen in seiner Gewalt. Dagegen war er in geistiger Hinsicht völlig unersättlich …»[22]

Die persönliche Kompetenz Alexanders ist auch für heutige Begriffe von erstaunlicher Vielfalt und Grösse. Der Begriff der Genialität scheint nicht zu hoch gegriffen zu sein. Seine fachliche, emotionale und soziale Kompetenz als Heerführer, König und Stratege verdient – auch im Wissen um seine menschlichen Schwächen – hohe Anerkennung und Wertschätzung. Dazu beigetragen haben neben den starken Persönlichkeiten von Vater Philipp und Mutter Olympias sicher auch die erstklassige Ausbildung durch die Grössen der damaligen Zeit, allen voran durch Aristoteles. Man stelle sich heute eine Ausbildung an den besten Universitäten der Welt mit zusätzlichem Privatunterricht bei den führenden Politikern und Wissenschaftlern vor. Herkunft und Bildung sagen naturgemäss nicht alles aus, mögen aber eine Erklärung sein für Alexanders überdurchschnittliche Kenntnisse der damaligen Welt und seine überragenden Fähigkeiten in den Bereichen Organisation und Improvisation.

Wissen bedeutet Macht. Führungskräfte sind nicht glaubwürdig, ohne in ihrem Bereich kompetent zu sein und ohne zumindest über ein Grundwissen der Organisation zu verfügen, welche sie vertreten.

Führungskräfte sind aber nicht nur kompetent durch das Anhäufen von vorhandenem Wissen und dessen zeit- und situationsgerechtem Abrufen. Die Herausforderungen, denen sich Organisationen heute zu stellen haben, verlangen zunehmend rasche, risikofreudige Entscheide, welche oft ohne ausreichende Informationen zu fällen sind. Lee Iacocca soll dazu folgendes gesagt haben: «An irgendeinem Punkt muss man den Sprung ins Ungewisse wagen, weil selbst die richtige Entscheidung falsch ist, wenn sie zu spät erfolgt.»[23]

Führungskräfte müssen entscheiden. Führung bedeutet beurteilen, was relevant ist, und Akzente setzen. Nach Anhörung mehrerer Meinungen, Analysen und Expertisen, muss ein Entschluss gefällt werden. Überzeugendes Handeln setzt die Fähigkeit voraus, unüberblickbare Situationen zu klären, und innere Entschlusskraft, eine gefällte Entscheidung tatsächlich umzusetzen.[24] Fälschlicherweise meinen viele, sie hielten sich alle Möglichkeiten offen, wenn sie nicht entscheiden. Das Vermeiden einer Entscheidung verwirrt und hält in einem energieraubenden Ungewissen gefangen.[25] Jemand muss die Verantwortung tragen und für die daraus resultierenden Entwicklungen geradestehen. Stabsmitarbeiter, Experten und Berater werden in der Regel nicht zur Verantwortung gezogen. Hier wird klar, weshalb vom «einsamen Chef» die Rede ist.[26] Viele erfolgreiche CEOs von kleineren und mittleren Unternehmen praktizieren einen autoritären Führungsstil beim Setzen der strategisch wichtigen Unternehmensziele, hingegen einen partizipativen bei deren Umsetzung innerhalb der Organisation.[27] Auch wenn – wie bei Matsuhita und anderen erfolgreichen Präsidenten von Konzernen – strategische Entscheide nach Anhörung möglichst aller Beteiligter gefasst werden, so geht es in keiner Art und Weise um einen demokratischen Prozess, bei dem die Oberhand gewinnt wer 51 % der Stimmen auf sich vereinigt.[28]

Politische Führer, vor allem im schweizerischen System der direkten Demokratie, müssen sich dem Volk immer wieder stellen, Mehrheiten hinter sich bringen und Akzeptanz erzielen. Bei allen Vorteilen von Wahlen und Abstimmungen hat dies in der Schweiz zu einer Ausgleichs-, Kompromiss- und Konkordanzdemokratie geführt, die in normalen und guten Zeiten funktioniert hat, aber wenig dynamische und risikofreudige (Regierungs-)Politiker hervorbringt und in Krisen zu schwerfälligen Prozeduren und entscheidungsunfreudigen Führenden führt. Demokratisch legitimierte Führer dürfen sich aber nicht zu sehr von Ängsten leiten lassen, sei es von der Angst nicht wiedergewählt zu werden oder eine Abstimmung zu verlieren, sei es in den Medien attackiert zu werden. Eine gewisse Unabhängigkeit von der sogenannten öffentlichen Meinung, Hartnäckigkeit im Verfolgen eigener Überzeugungen und Furchtlosigkeit gegenüber der Zukunft wäre vielen Politikern zu wünschen. An Beispielen fehlt es nicht: Winston Churchill stand oft allein; er war aber eher bereit, öffentlichen Tadel einzustecken als von seinen Überzeugungen abzuweichen. Charles de Gaulle prangerte die politische und militärische Sturheit im Frankreich der dreissiger Jahre offen an und verliess zweimal eine politische Machtstellung nach dem Krieg, weil er sich nicht mehr genügend unterstützt fühlte. Franklin D. Roosevelt setzte als US-Präsident oft sein Prestige und seine Stellung aufs Spiel und wollte auch Neues schaffen. Churchill, de Gaulle und Roosevelt waren bereit, die Einsamkeit zu ertragen und bei ihren Überzeugungen zu bleiben.[29]

Führungskräfte, insbesondere politische Führer dürfen keine Angst haben vor persönlichen (Karriere-) Risiken, keine Angst vor dem Verlieren, keine Angst vor der Zukunft. Wir brauchen unabhängige, ihrem Gewissen und der Verantwortung ihres Amtes verpflichtete Führer. Es gab und gibt sie auch in der Schweiz. Der Thurgauer Heinrich Häberlin, als Bundesrat von 1920 – 1934 auch als «Gewissen des Bundesrates» bezeichnet, verkörperte diese Haltung: «Und wenn die Führer und parlamentarischen Vertreter dabei auch gegen die Wähler, gegen die Massen Stellung nehmen müssen, so ist das eben ihre Pflicht, und schliesslich kostet es ja nicht das Leben, sondern bloss den Sessel.»[30]

Wissen allein genügt nicht. Um kompetent handeln zu können, müssen Führende auch auf ihr inneres Gefühl hören und danach handeln. Dieses innere Gefühl umfasst Intuition und Instinkt. Führungskräfte sollten lernen, auf dieses innere Gefühl zu achten, sensibel auf ihre eigenen, inneren Signale zu hören. Dieses innere Gefühl wächst mit der eigenen Erfahrung und dem eigenen Lernen. In der Regel gibt es keine intuitiven Gefühle von Dingen, von denen man nichts versteht. Aber durch ein intensives Leben in der Organisation und durch das Lernen aus eigenen oder fremden Erfahrungen kann ein Sensorium entwickelt werden, das sich als Reservoir für neue Ideen und für den «Riecher» zur richtigen Zeit anbietet. Auf dieses innere Gefühl gehört zu haben, ist eigentlich das Geheimnis all jener Firmenautokraten, die entgegen dem Rat der eigenen Leute, irgendeine Sache – sogenannt rein intuitiv – entschieden, durchgezogen und zum Erfolg geführt haben.[31]

Ziele

> «Und ich werde euch Makedonen und unse-
> ren Bundesgenossen zeigen, dass der indische
> Meerbusen mit dem Persischen zusammen-
> fliesst und das Hyrkanische Meer mit dem In-
> dischen Busen in Verbindung steht. Vom
> Persischen Golf aus wird unsere Flotte Libyen
> umsegeln bis zu den Säulen des Herakles.
> Und von den Säulen an wird ganz Libyen am
> inneren Meere unser Eigentum und so auch
> ganz Asien. Dann werden die Grenzen dieses
> Reiches erst die sein, die die Gottheit als
> Grenzen der Erde überhaupt gesetzt hat!»

(Rede Alexanders an seine Kommandeure anlässlich
der Kriegsmüdigkeit des Heeres am Hyphasis,[32]
Anm. der Autoren)

Alexanders Ziele müssen eine grosse Anziehungskraft ausgestrahlt
haben. Gelehrte, Forscher, Ingenieure, Wirtschaftsexperten, Historiker und Ärzte erhofften sich durch den Zug in ferne Länder
neue Erkenntnisse. Aber auch Soldaten und allerlei Abenteurer
dürften sich durch die grossen Ziele Ruhm und Vermögen erhofft
haben. Und viele kamen auch tatsächlich auf ihre Rechnung.

Alexander hatte Zeit seines Lebens Ziele, die er unablässig zu
verwirklichen trachtete. Bei Übernahme der Herrschaft musste
Alexander die Errungenschaften seines Vaters Philipp sichern, um
dann für weitere Taten den Rücken frei zu haben. Vermutlich beabsichtigte er, vorerst die persische Vormachtstellung zu brechen.
Erst im Verlaufe der Zeit wurde die Errichtung eines Weltreiches
unter seiner Führung und das Vorrücken bis an die «Weltgrenze»
zum erklärten Ziel, zur Vision, wie es Alexander in seiner Rede
am Hyphasis selber formuliert hat.[33]

Die Unterscheidung zwischen Ziel und Vision ist nicht einfach. Ein Ziel ist immer eine Vorgabe, für sich und für andere

Menschen, ein zu erreichender Zustand in der nahen oder fernen Zukunft. Oft, nicht immer, sind Ziele mess- und damit überprüfbar; für durchschnittliche Menschen sind sie in der Regel immerhin nachvollziehbar. Eine Vision ist subjektiv geprägt und entspricht eher der Idee, der Vorstellung oder dem Traum von einem weit in der Zukunft liegenden erwünschten Endzustand. Sie ist leichter zu beschreiben als für die Adressaten fassbar zu machen. Eine Vision kann in der Regel in mehrere Ziele unterteilt werden, welche ihrerseits gewissen Teilstrecken auf dem Weg zum Endzustand entsprechen. Man kann deshalb die Vision der normativ-strategischen Ebene und das Ziel der operativen Ebene zuordnen.[34]

In der oben zitierten Rede Alexanders wird der Unterschied zwischen Ziel und Vision wenigstens teilweise erkennbar: Die Überwältigung des Perserreiches war zwar an sich eine kühnes Ziel, doch für Menschen fassbar, im Ausmasse begrenzt und somit auch erreichbar. Die Grenzen, die aber die Gottheit gesetzt hat, sind nicht mehr klare und für menschliche Dimensionen fassbare Ziele, sondern Visionen. Für damalige Ohren mag es so geklungen haben, wie wenn jemand heute vom Vorstoss bemannter Raumschiffe an die Grenzen unseres Sonnensystems sprechen würde. Das Heer, die Generäle wie die Soldaten, war nach all den Jahren voller Kriege und Strapazen bis an die Limiten des Ertragbaren belastet worden. Es war müde und nicht mehr durch stolze, aber vage Visionen zum Weiterzug zu bewegen.

Mit Hilfe des Unternehmergeists von Konosuke Matsushita sei der Unterschied zwischen Ziel und Vision verdeutlicht.[35] Als Präsident seines grösser werdenden Unternehmens setzte Matsushita immer neue und höhere Ziele, um seine Mitarbeiter stets zu Höchstleistungen anzuspornen und zugleich aufkeimende Selbstgefälligkeit und Arroganz zu bekämpfen. 1956 verkündete er, dass binnen fünf Jahren die Verkaufszahlen unternehmensweit zu vervierfachen seien. Trotz anfänglichem Kopfschütteln seiner Direktoren wurde das Ziel bereits in vier Jahren erreicht. Im Januar 1960 beabsichtigte er, seine General Electric bis zum Jahre 1965 zum ersten Grossunternehmen Japans zu machen, das bei gleichem oder gesteigertem Umsatz die Fünf-Tage-Woche einführt. Dies gelang. Beide Ziele waren hoch gesteckt, waren aber fass- und messbar und fanden dank Beispiel und Überzeugungskraft des obersten Chefs und später auch seiner engsten Mitarbeiter den nötigen Anklang bei der gesamten Belegschaft. In den 30er Jahren proklamierte Matsushita die Werte für seine Mitarbeiter wie folgt: Qualitätsarbeit im Dienst für die Allgemeinheit; Fairness und Ehrlichkeit; Teamwork für die gemeinsame Sache; ein nie erlahmendes Engagement bezüglich Verbesserungen sowie Höflichkeit und Bescheidenheit. 1979 gründete er das «Matsushita Institute of Government and Management», ein zwei- bis fünfjähriges Nach-Diplomstudium, und formulierte folgende Schulungswerte: Der Glaube, dass unerschütterlicher Wille fast alle Hindernisse beseitigen kann; ein Geist der Unabhängigkeit in Gedanke und Handeln; der Wille, von allen möglichen Erfahrungen zu lernen; die Fähigkeit, von traditionellem Denken und allen Formen von Stereotypen Abstand zu nehmen; Wille und Fähigkeit, mit anderen Menschen zusammenzuarbeiten. Natürlich handelt es sich hier auch um Unternehmenscredos, «corporate values» und Verhaltensweisungen, wie sie in vielen Unternehmen heute üblich sind. Die Matsushita-Ideale gehen aber über das hinaus. Sie stehen zwischen Zielen und Visionen, weil sie zukunftsorientiert sind, an die menschliche Entwicklungsfähigkeit glauben und auch eine spirituelle Dimension enthalten. Später, in seinen Büchern und Schriften, formulierte Matsushita, im Glauben an eine bessere Zukunft für alle Menschen, Visionen für die politische Zukunft Japans: Der Mangel an Landreserven und die sehr hohe Bevölkerungsdichte Japans sollten kompensiert werden durch das Abtragen von Bergen und das Ablagern von Erde und Stein an der Küste, so dass der bewohnbare Landteil verdoppelt werden könnte. Matsushita rechnete mit einer Realisierungsdauer von wenigen Jahrhunderten. Er wies daraufhin, dass die Stadt Kobe in nur dreizehn Jahren eine 430 ha grosse Fläche hinzugewonnen hatte. Wieso konnte nicht eine nationale Regierung ähnliches vollbringen? Eine andere Vision Matsushitas beinhaltete ein steuerfreies Japan. Er schlug vor, 10% des nationalen Einkommens auf ein Sparkonto zu legen und den Zinsertrag für allmähliche Steuersenkungen einzusetzen. Nach einem Jahrhundert würden die Überschüsse so gross sein, dass damit die Regierungsgeschäfte besorgt werden könnten. Um ein Zweiklassensystem zwischen reicheren und ärmeren Japanern zu verhindern, würden die wohlhabenderen weiterhin besteuert.

Wie fliessend die Grenzen zwischen Ziel und Vision sind, bezeugt folgendes Beispiel: Als John F. Kennedy bei seiner Antrittsrede 1961 erwähnte, noch im laufenden Jahrzehnt einen Amerikaner auf den Mond zu schicken, war das die Bekanntgabe eines Ziels, auch wenn es für viele Zuhörer visionär geklungen haben mag. Kennedy wusste von den NASA-Experten, dass es technisch in wenigen Jahren möglich sein werde, ein bemanntes Raumschiff auf den Mond zu entsenden, sofern die entsprechenden finanziellen Mittel bereitgestellt würden.

Ob Vision oder Ziel ist letztlich nicht entscheidend. Von Bedeutung ist lediglich, ob es gelingt, Menschen zu grösseren Leistungen als bisher zu motivieren, in ihnen Träume, Sehnsüchte und Wünsche zu wecken und ein Feuer zu entfachen, das weiterbrennt, bis ein in der Zukunft liegendes Ereignis eintritt.

«Ich sehe, ihr makedonischen Männer und Bundesgenossen, dass ihr mir nicht mehr mit derselben Gesinnung in die Gefahren folgt wie bisher. Darum habe ich euch zusammengerufen, um euch zu überreden und weiter zu führen oder, falls ihr mich überredet, mit euch umzukehren. Wenn euch nämlich die bisher überstandenen Strapazen und ich selber als euer Führer zuwider sind, dann hat für mich jedes weitere Wort an euch keinen Zweck mehr.» [36]

Arrian überliefert insgesamt fünf grosse Reden von Alexander: vor der Schlacht bei Issos, vor der Belagerung von Tyros, vor der Schlacht bei Gaugamela, anlässlich der Kriegsmüdigkeit seiner Truppen beim Fluss Hyphasis sowie im Zusammenhang mit der Meuterei des Heeres in Opis. Alexander sprach dabei nicht zum gesamten Heer, sondern in vier Fällen zu seinen Kommandeuren und in Opis, von einer Rednerbühne herab, ausschliesslich zu den Makedonen.

Wir wissen nicht, wie Alexander auf seine Zuhörer gewirkt hat. Seine Worte hatten aber eine enorme Wirkung. Bei Issos feuerte Alexander seine Generäle an, sie sollten nur guten Mutes sein, in Erinnerung an all das, was sie bereits in grossen Gefahren geleistet hätten. Vor Tyros begründete er, weshalb diese fast als uneinnehmbar geltende Stadt genommen werden müsse. Unmittelbar vor der Schlacht bei Gaugamela sagte er ihnen, dass es nun um nichts anderes gehe als um den Entscheidungskampf über die Herrschaft Asiens. Am Hyphasis, als seine Soldaten ihm nicht mehr weiter nach Osten folgen wollten, beschwor er das gemeinsam Erreichte und entwarf das Endziel der Weltherrschaft. Bei Opis zog er alle Register seines rhetorischen Könnens, rühmte zuerst die Taten seines Vaters Philipp, anschliessend seine eigenen, zählte seine Wunden auf und hob gegen Schluss wie folgt an: «Und jetzt wollte ich die Invaliden von euch, bewundert von denen daheim, entlassen. Doch, wenn ihr alle gehen wollt, so geht nur alle und erzählt zu Hause, dass ihr euren König Alexander, den Sieger über Perser, Meder, Baktrier und Saken verlassen habt, ...»[37] Anschliessend zog er sich schmollend drei Tage in sein Zelt zurück.

Wurde Alexander beim Hyphasis von der Rede seines Getreuen Koinos «übertrumpft», so waren die Makedoner bei Opis aufs tiefste erschüttert. Alexander verfügte über grosse rhetorische Fähigkeiten. Er verstand es, je nach Situation an frühere Taten und die Ehre jedes Einzelnen oder an die zu erwartenden Gewinne und den Ruhm zu appellieren. Wenn es aber um das Ganze ging, wie am Hyphasis oder bei Opis, brachte Alexander seine eigene Persönlichkeit und sein Prestige ins Spiel, um einen Entscheid zu seinen Gunsten zu erwirken. Wie in der Schlacht, tat er dies ohne Rücksicht auf eigene Verluste.

Die jüngere Weltgeschichte kennt viele mächtige Redner: Lincoln, Roosevelt, Churchill und de Gaulle, aber auch Lenin, Mussolini, Hitler und Mao. Alle waren sie Meister der Rhetorik, ob im Guten oder im Schlechten.

Einer neueren amerikanischen Untersuchung zufolge, gehört die Fähigkeit, in der Öffentlichkeit oder im kleinen Kreis überzeugend zu sprechen, zu den gemeinsamen Attributen erfolgreicher Führungskräfte.[38]

Zentraler für die positive Überzeugungskraft ist nicht die Redefähigkeit einer Führungskraft, sondern ihre Glaubwürdigkeit, das heisst die Identität von Mensch, Wort und Aktion. Das Führungsverhalten bestimmt die Glaubwürdigkeit. Dabei spielen Dauer und Intensität von Beziehungen eine wichtige Rolle: In der Krise eines Unternehmens oder im Gefecht stellt sich die Glaubwürdigkeit eines CEO oder eines Truppenführers rasch heraus. Im beruflichen oder militärischen Alltag wird es länger dauern. Am schwierigsten hat es grundsätzlich der Bürger, der die Glaubwürdigkeit von Politikern im Hinblick auf ihre Wiederwahl beurteilen sollte, diese aber nur aus den Medien kennt und nur sporadisch mit ihnen in Berührung kommt.

> «Als diese Behauptungen als wahr erwiesen
> wurden, liess er die beiden hinrichten, damit
> es auch die anderen Statthalter oder Unter-
> statthalter und Gaufürsten mit der Angst bekä-
> men, dass sie dieselbe Strafe wie jene erleiden
> würden, wenn sie sich verfehlten. ...»[39]

So freigebig und fürsorglich Alexander sein konnte, so rasch, hart und unerbittlich, für unsere Begriffe auch unmenschlich, schlug er zu, wenn Verschwörungen gegen seine Person und seine Ziele aufgedeckt wurden oder wenn offensichtlich gegen religiöse Heiligtümer oder gegen die Bevölkerung gefrevelt wurde. Die Tötung Kleitos, die Ermordung Parmenions und Kallisthenes', die Hinrichtung der Rädelsführer bei Opis und diverser Statthalter gehören zu den bekanntesten Beispielen. Alexander erteilte dann Schläge, wenn seine Ziele nicht erreicht wurden oder wenn wider seine eigene Person oder Führungsphilosophie gehandelt wurde.

Wir erkennen hier deutlich die Ambivalenz der Führungspersönlichkeit Alexanders. In den Schlägen gegen Frevler, Mörder und ungetreue Regierungsbeamte sehen wir strafende, aber auch positiv-erzieherische Absichten, in den meist willkürlichen Todesurteilen gegen angebliche Verschwörer jedoch despotische Züge.

Wer für eine Organisation Verantwortung trägt, muss sich durchsetzen können, in erster und hauptsächlicher Linie mittels Beispiel und Überzeugung, als ultima ratio auch mittels geeigneten und der entsprechenden Funktion zustehenden Druck- und Sanktionsmitteln.

Ein Staat, der das Gewaltmonopol verliert, ist nicht mehr Herr über die Sicherheit seiner Bürger. Bewaffnete Clans, mafiose Vereinigungen, Drogenkartelle oder Privatarmeen setzen im Machtvakuum partikuläre Interessen durch. Die Bevölkerung leidet oft in unvorstellbarem Masse. Supranationale Organisationen werden nicht zuletzt deshalb häufig gering geschätzt oder kritisiert, weil sie keine oder nur bedingt verwendbare Instrumente zur Durchsetzung ihrer Beschlüsse besitzen.

Glaubwürdig ist auf Dauer nur jene Führungskraft und jene Organisation, die sich bzw. ihre Überzeugungen mit rechtsstaatlichen Mitteln durchsetzen kann und will. Von zentraler Bedeutung ist wie und mit welchen der legitim zur Verfügung stehenden Mitteln Entscheide notfalls auch durchgesetzt werden sollen. Dabei ist eine umfassende Beurteilung dieser Mittel vorzunehmen, insbesondere deren Innen- und Aussenwirkung. So sind zum Beispiel mögliche Auswirkungen auf Mitarbeiter, Geschäftspartner, Kunden, Sozialpartner oder Medien zu überprüfen. Was für ein Unternehmen ein «Befreiungsschlag» in Richtung schwarze Zahlen bedeutet, kann für die Betroffenen ein regelrechter «Enthauptungsschlag» sein.

Zu einem Schlag im wahrsten Sinne des Wortes holte die kanadische Regierung im Jahre 1995 aus, als sie die Auflösung eines Elite-Regiments anordnete. Nach dem UNO-Einsatz in Somalia von 1994 waren Grausamkeiten und Unmenschlichkeiten von Angehörigen dieses Regiments an Somaliern publik geworden. Da die Führung dieses Verbands nichts zur Klärung der Fälle beigetragen hatte, ja das Verhalten der Truppe offenbar noch offen unterstützt hatte, sah sich die Regierung Kanadas zu dieser aussergewöhnlichen Sanktion veranlasst und berechtigt.

«Alexander … selber hätte das Flaggschiff ge-
steuert und, wie er mitten im Hellespont
gewesen sei, hätte er dem Poseidon und den
Nereiden einen Stier schlachten lassen und
aus goldener Schale in das Meer eine Spende
gegossen. Man berichtet ferner, dass er als
erster von seinem Schiff in voller Rüstung die
Erde Asiens betreten hätte. … (und) der Athene
von Ilion geopfert und seine gesamte eigene
Rüstung in ihrem Tempel als Weihgeschenk
dargebracht (hätte). Er hätte anstatt dieser
einige der heiligen Waffen mitgenommen, die
dort seit dem trojanischen Krieg noch aufbe-
wahrt wurden.»[40]

Alexanders Lebensweg ist voller symbolischer Handlungen. Viele
seiner Taten haben sogar theatralischen Charakter, was ihn als
«Meister der Inszenierung» auszeichnet.[41]

Die Liste der Beispiele ist lang. Dazu gehören unter anderem
auch die Zähmung seines Pferdes Bukephalos, die Geschichte mit
Diogenes («Ich bin wunschlos, ausser dass Du mir vor der Sonne
stehst!»), der Besuch des Orakels bei der Oase Siwah, die unzähli-
gen Opferungen an verschiedenste Gottheiten, die musischen und
sportlichen Wettkämpfe, der Kult um seine eigene Abstammung
(«Sohn des Zeus»), seine Vergleiche mit Herakles und die Vereh-
rung seiner Person, seine Reden sowie sein tiefer Schlaf vor der
Schlacht bei Gaugamela oder sein dreitägiges Schmollen nach den
Zerwürfnissen mit dem Heer beim Hyphasis bzw. bei Opis.

Die symbolischen Handlungen Alexanders sind primär aus seinem Sendungsbewusstsein heraus zu verstehen. Vermutlich sah er
seine Taten als Einheit, in einem Gesamtzusammenhang zwischen
gestern und morgen: Aus der Vergangenheit fühlte er sich durch
seine behauptete Abstammung von Zeus und Herakles mit der
hellenistischen Kultur auf das Engste verbunden. Die Zukunft soll-

te er bestimmen und gemäss dem Willen der Götter ein einziges Weltreich erschaffen. Das Aufsuchen fast aller religiöser Stätten auf seinem Zug, die zahllosen Opferungen und sein Respekt vor Zeichen aller Art und Prophezeiungen deuten in diese Richtung. Daneben muss er sich aber auch der erheblichen Wirkung seiner symbolischen Handlungen gegenüber Dritten bewusst gewesen sein und sie gezielt zur Beeinflussung und Steuerung eingesetzt haben. Die Geschichte mit dem Gordischen Knoten, dessen Rätsel er glaubte gelöst zu haben, und geschickt inszeniertes Benehmen gegenüber seinen Unterstellten in Krisenlagen, zum Beispiel das demonstrative Ausleeren des ihm in der Wüste dargebotenen Wassers, mögen dies verdeutlichen.

Symbole sind Mittel des Denkens und der Kommunikation und damit bedeutende Mittel der Begründung und des Aufrechterhaltens eines Führungsanspruchs. Dabei spielen das gesprochene und das geschriebene Wort die zentrale Rolle.[42] Von Charles de Gaulle wird gesagt, dass er sich als Soldat einen Namen gemacht habe durch das Schreiben von Büchern und als Politiker durch seine Reden an die Nation mittels Radio und Fernsehen. Später konnte er sich den Rückzug in die Privatsphäre leisten, weil er Begriffe wie General, Rebell und Präsident symbolhaft verkörperte. Auch Colin L. Powell war sich der Bedeutung von Symbolen, im speziellen von Decknamen für militärische Operationen bewusst, als er die Bezeichnung «Blue Spoon» für die Aktion gegen Noriega in Panama in «Just Cause» umtaufte. Wer will schon sein Leben für blaue Löffel riskieren?[43] Der internationale Versicherungskonzern AXA Group versucht die Konzern-Vorgaben unter anderem mittels Symbolen seinen weltweit rund 50 000 Mitarbeitern plausibel zu machen, mit dem Ziel einer gemeinsamen Kultur, einer «corporate identity».[44]

Vermutlich haben Symbole heute an Bedeutung noch zugenommen. Globalisierung, Migration und fortschreitende Technisierung haben bei vielen Menschen auch Verunsicherung und Ängste hervorgerufen. Viele sind empfänglicher geworden für Vereinfachungen. Einprägsame Slogans, Karikaturen und Metaphern werden von verschiedenen Interessengruppen als Mittel der Vereinfachung und der Abstraktion benutzt, um politische oder wirtschaftliche Kampagnen wirkungsvoll zu unterstützen. Sätze wie «Nestlé tötet Babies» oder «Soldaten sind Mörder» sind eingängige Formeln, um komplexe Sachverhalte auf einen, wenn auch falschen oder irreführenden Nenner zu bringen, Emotionen zu schüren, verunsicherten Bürgern eine eindeutige Orientierungshilfe zu geben und den potentiellen Gegner in der Öffentlichkeit von Anfang an in die Defensive zu zwingen.

Wer Symbole verwendet, will nicht nur Emotionen wachrütteln, sondern und vor allem auch Machtansprüche verwirklichen. Führungskräfte in Wirtschaft, Politik und Armee müssen dies erkennen. Wir sollten lernen, mit Symbolen umzugehen, und nicht nur auf der sachlichen, sondern auch auf der emotionalen Ebene überzeugend zu kommunizieren.

Würdigung

Im Zentrum der Würdigung einer Führungskraft stehen normalerweise ihre Führungseigenschaften, vor allem das beispielhafte, der Ethik verpflichtete Verhalten, die Fähigkeit, kompetent in der Organisation mitzuwirken und sich mit ihr und ihren Mitarbeitern zu identifizieren, sowie in (fast) allen gegebenen Situationen den sinnvollen Erfolg anzustreben.

Während Führungstechniken mehrheitlich von durchschnittlich intelligenten Menschen erlernt werden können, hängt der Grad der Entwicklungsfähigkeit von Führungseigenschaften von der vorgegebenen Identität und dem Potential eines Menschen ab sowie von der Situation, in der er lebt: «Glücklich der Mensch, der seinem Stern folgt. Er wird die Erinnerung füllen, die Vergangenheit deuten, die Begriffe prägen und so die Zukunft gewinnen.»[45]

Die einzelnen Führungseigenschaften und -techniken dürfen nicht isoliert betrachtet werden. Die Führungspersönlichkeit Alexanders oder anderer, hier nur punktuell erwähnter Personen werden nur in der Gesamtschau erkennbar. Nur in der Gesamtbetrachtung kann die Wirkung ihres Handelns mit Bezug auf konkrete Situationen gewürdigt werden.

Alexander ist seinem Stern gefolgt und wird deshalb zu Recht «der Grosse» genannt. Er war eine ambivalente Führungspersönlichkeit und ist nicht in jeder Hinsicht nachahmenswert. Rückblickend scheint der Zweck manchmal die von ihm angewendeten Mittel geheiligt zu haben. Alexander hat es hingegen verstanden, aus seinen persönlichen und den vorhandenen Möglichkeiten sowie aus der gegebenen Situation seiner Zeit das Optimum herauszuholen. Er war gleichzeitig sehr leistungsfähig und sehr wirkungsvoll.

3   Manager und Leader – die wirksame Führungskraft

Wir umschreiben Management mit planen, budgetieren, organisieren, Probleme lösen und steuern oder als die Leitung und Steuerung einer komplexen Organisation, mit dem Ziel, die laufenden Geschäfte der Gegenwart und der nahen Zukunft reibungslos und zur Zufriedenheit von Kunden und Mitarbeitern abzuwickeln.

Leadership definieren wir mit Visionen entwickeln, diese kommunizieren, vorleben, andere Menschen inspirieren, diese Ziele zu verwirklichen, oder als die Führung von Menschen einer komplexen Organisation in eine neue Richtung und mit neuen Zielen.[46] Leadership bedeutet im weitesten Sinne zu agieren statt zu reagieren, Neues zu wagen und Risiken einzugehen.

Wir beabsichtigen nicht, den Manager in einen krassen Gegensatz zum Leader zu stellen. Wir gehen aus von einem positiven Bild des Managers und fragen, was Leadership darüber hinaus noch zusätzlich bedeutet.[47] Was war das Besondere an Alexanders Leistungen? Wie ist er vorgegangen, was hat er getan, um auch aus heutiger Sicht aussergewöhnliche Ergebnisse zu erzielen. Was machte ihn zu einer derart effektiven Führungskraft?

«Alexander aber veranstaltete grosse Hochzeitsfeiern für sich und seine Getreuen. Er selber führte Barsine, die älteste Tochter des Dareios, heim. … Und ebenso gab er auch seinen anderen Getreuen – etwa 80 – die Töchter der angesehensten Perser und Meder. Die Hochzeiten wurden nach persischem Brauch gefeiert. … Auch die Namen aller anderer Makedonen, die asiatische Frauen geheiratet hatten, liess er aufschreiben – es waren über 10 000 –, und auch sie erhielten von ihm Hochzeitsgeschenke.» [48]

Alexander übernahm im Verlaufe seines Zuges durch Asien persische Sitten und Gebräuche.[49] Überall gründete er Städte, befestigte sie und liess Einheimische, die dazu bereit waren, und Leute seines Heeres, vor allem Söldner oder Invalide, zusammensiedeln.[50]

Bei Opis schickte Alexander gebrechliche Makedonen nach Hause. Kinder, die von einer asiatischen Frau waren, mussten aber auf Alexanders Befehl zurückbleiben, «damit sie nicht häusliche Zwietracht nach Makedonien einschleppten, indem sie Menschen anderen Volkes und Kinder von Barbarenweibern ihren zu Hause gelassenen Kindern und deren Müttern mitbrächten.» Alexander erklärte, er selbst werde dafür sorgen, dass diese bei ihm gebliebenen Kinder auf makedonische Weise erzogen würden.[51]

Alexander nahm Nicht-Makedonier in sein Heer auf, gab ihnen makedonische Waffen und liess sie in der makedonischen Kriegführung ausbilden.[52] Mit den indischen Söldnern schloss er einen Vertrag, mit der Bedingung, dass sie fortan auf seiner Seite kämpften.[53] Den besiegten Poros behandelte Alexander königlich: Er gab ihm nicht nur sein Land zurück, sondern neu erobertes Land hinzu. So sicherte er sich neue Krieger (und Elefanten) und machte sich einen ehemaligen Gegner zum treuen Freund.[54]

Nach heftigen Tropenregen liess Alexander alle Häuser in den Städten Nikaia und Bukephala am Hydaspes, die infolge der Unwetter sehr gelitten hatten, mit Hilfe des Heeres wieder aufbauen.[55] Dem assyrischen Land half Alexander, indem er an der Stelle, wo der Euphrat in den Pallakopas abgelenkt wurde, diesen Abfluss fest verschliessen liess.[56]

Nachdem Alexander während seines Zuges zum Indus ca. 230 000 Rinder erbeutet hatte, wählte er die schönsten aus und schickte sie nach Makedonien, um sie beim Ackerbau zu verwenden.[57]

Alexander strebte eine gemeinsame Herrschaft der Makedonier und der Perser über das von ihm geschaffene Reich an. Er ging ganz neue Wege, indem er sich persönlich bemühte, die Sympathien der von ihm befreiten oder unterworfenen Völker zu gewinnen.[58] Für viele Makedonier ging Alexander aber zu weit. Sie verübelten ihm nicht nur die Annahme persischer Sitten und Gebräuche, sondern auch die Aufnahme von Fremdlingen in die eigenen Reihen. Die tödliche Auseinandersetzung mit Kleitos und die Meuterei in Opis sind vor diesem Hintergrund zu verstehen.

Die Vision Alexanders des friedlichen Nebeneinanders von Völkern und Kulturen ist auch heute noch eine grosse und sinnvolle Vision mit hoher Ethik.[59] Damit aber eine Vision und damit verbundene Ziele effektiv sein können, müssen sie nicht nur sinnvoll, sondern auch realistisch sein und bei den sie betreffenden Menschen auf Widerhall stossen.[60] Da gerade letzteres nicht zutraf, konnte Alexander seine Vision zu Lebzeiten nicht vollständig verwirklichen; und ohne ihn geriet sie nach seinem Tode in Vergessenheit.

Mit Alexanders grenzüberschreitender, globaler Vision lassen sich nur wenige andere vergleichen.[61] Am ehesten noch Jean Monnets Vision von einem Vereinten Europa und Mahatma Gandhis Vision von einem unabhängigen, gewaltfreien Indien.[62] Beide konnten zumindest eine Teilrealisierung ihres Traums persönlich erleben. Als Jean Monnet 1979 starb, waren die politisch bedeutungsvollsten und wirtschaftlich stärksten westeuropäischen

Staaten in der Europäischen Gemeinschaft vertreten, deren Strukturen sich aber erst Ende der 80er Jahre und auch nur zaghaft in Richtung einer aussen-, sicherheits und währungspolitischen Union entwickelten. Heute, 1998, sind wir nach wie vor ein grosses Stück von den Vereinten Staaten Europas entfernt. Die Unabhängigkeit Indiens von Grossbritannien im Jahre 1947 durfte Mahatma Gandhi gerade noch erleben, bevor er im Januar 1948 von einem fanatischen Hindu ermordet wurde. War es ihm dank seiner persönlich gelebten Gewaltfreiheit, die über die ganze Welt ausstrahlte, gelungen, Indien aus seiner Abhängigkeit zu lösen, scheiterte er im eigenen Land im Bestreben, Hindus und Moslems zu versöhnen. In Anbetracht der anhaltenden religiösen Auseinandersetzungen in Indien in den letzten 50 Jahren, wäre der Ausgleich wohl auch ihm nicht auf die Dauer gelungen. Dazu sind mehrere Generationen notwendig. Trotzdem, Monnet wie Gandhi waren zumindest teilweise erfolgreich, weil ihre Vision nicht nur sinnvoll, sondern auch realistisch war und bei anderen Menschen auf Zustimmung stiess. Monnet gelang es nach dem Desaster des Zweiten Weltkriegs die europäischen Regierungen von der Notwendigkeit des Zusammengehens zu überzeugen, und Gandhi vermochte der Weltöffentlichkeit, und damit indirekt auch England, die Unabhängigkeit seines Landes glaubhaft zu propagieren.

Energie, Tatendrang und Neugier

«Denn das Verlangen hatte ihn ergriffen, auch über das Meer, das Kaspische und Hyrkanische genannt wird, Klarheit zu erlangen.»[63]

Für Arrian war das wahre Motiv der Unternehmungen Alexanders ein unersättliches Verlangen, immer etwas Neues zu gewinnen.[64] Als Alexander bis an die Donau vorstiess, wollte er das Land jenseits dieses Stromes um jeden Preis betreten.[65] Grenzenlose Neugier erfasste ihn auch, das Land der Skyther, ihre Sitten, Bräuche und ihre Bewaffnung zu erkunden,[66] das «gottgesegnete Land jenseits des Hyphasis» zu sehen und seinen Zug nach Osten fortzuführen,[67] den Euphrat und Tigris hinabzufahren, um die Mündung der beiden Ströme in den Golf zu schauen[68] oder die Küste des Persischen Golfes und die dortigen Inseln zu besiedeln.[69] Schier unstillbares Verlangen ergriff Alexander immer dann, wenn ein Gebiet oder eine Stätte in Zusammenhang mit göttlichen Gestalten gebracht wurde. So eroberte er den Berg Aornos vor allem wegen der Sage von Herakles,[70] und den Berg Meros bestieg er, weil dort angeblich gewisse Erinnerungen an den Gott Dionysos erhalten wären.[71] Der Zug in die libysche Wüste zum Ammon, der heutigen Oase Siwah, ist vermutlich auf ähnliche Beweggründe zurückzuführen.[72]

Alexanders ausgeprägter Tatendrang für bestimmte Unternehmungen, seien es Eroberungen, Entdeckungsfahrten oder persönliche Eskapaden, waren den Begleitern oder Berichterstattern nicht ohne weiteres verständlich oder mussten ihnen sogar unsinnig erscheinen.[73]

Führungskräfte zeichnen sich durch grossen Tatendrang und eine überdurchschnittliche Leistungsbereitschaft aus. Gemäss neueren Untersuchungen gehen effektive Führung und hoher Energiepegel Hand in Hand.[74] Napoleon hatte einen durchschnittlichen 18-Stunden-Tag und verrichtete in dieser Zeit erstaunlich viel Produktives; nach vier Stunden Schlaf stand er kurz nach Mitternacht auf und arbeitete wieder bis um fünf Uhr früh, um bis sechs Uhr noch einmal eine Stunde zu schlafen.[75] Ähnlich hart arbeitete Margaret Thatcher als britische Premierministerin; sie kam ebenfalls mit vier Stunden Schlaf aus, stand früh morgens auf und arbeitete Akten durch; wahrscheinlich war sie die am besten informierteste Regierungschefin ihrer Zeit.[76] Konosuke Matsushita war bis ins hohe Alter ein Energiebündel.[77] Ähnliches lässt sich von Percy Barnevik, ABB, von Lou Gerstner, IBM, und von anderen Wirtschaftsführern sagen.[78]

Woher kommt diese Energie? – Offenbar ist die Arbeit selbst ein Energiereservoir. Energiequellen können die Freude darüber sein, eine Spitzenposition einzunehmen und etwas Wichtiges und Spannendes aufzubauen. Den Verpflichtungen sich selbst und anderen gegenüber nachzukommen, erzeugt ein hohes Mass an Energie. Pablo Picasso sagte: «Ein Lebenswerk zu schaffen ist das, was die eigentliche Verlockung ausmacht.»[79] Die offensichtlichste Manifestation von Energie ist die Begeisterung, die leistungsstarke Führungskräfte auf andere Menschen übertragen können. Energien in anderen freisetzen und Menschen auf positive Weise beeinflussen, verschaffen wiederum Befriedigung und zusätzlichen Tatendrang.[80]

Besinnung auf eigene Stärken und Sicherung des Erreichten

> «Zu Beginn des Frühlings (336 v. Chr.)
> brach er nach Thrakien auf, gegen die Triballer
> und die Illyrer. ... Es schien ihm ... nicht
> geraten, wo sie Nachbarn waren und er so weit
> von der Heimat fortziehen wollte, sie in
> seinem Rücken zu lassen.»[81]

(Feldzug gegen die Perser, Anm. der Autoren)

Nach der Einnahme von Milet, an der Westküste der heutigen Türkei gelegen, entschloss sich Alexander zur Auflösung seiner Flotte. Dazu veranlasste ihn nicht nur der Mangel an Geld, sondern vor allem die Erkenntnis, dass sich seine Flotte mit der persischen überhaupt nicht messen konnte. Ausserdem rechnete Alexander damit, dass sich die persische Flotte zwangsläufig auflösen würde, nachdem er alle Küstenstädte in Besitz genommen und so die Perser der Möglichkeit beraubt hätte, ihre Rudermannschaften zu ergänzen und irgendwo an einem Mittelmeerhafen anzulegen.[82] Nach dem Sieg Alexanders bei Issos und vor der Belagerung der Hafenstadt Tyros, die zur damaligen Zeit als uneinnehmbar galt, sprach der König zu seinen engsten Heerführern: «Ich sehe, dass unser Zug nach Ägypten nicht gefahrlos ist, solange die Perser Herren der See sind. Es ist aber auch die Verfolgung des Dareios nicht ungefährlich, wenn wir die Stadt Tyros bei ihrer schwankenden Haltung und dazu Ägypten und Kypros im Besitz der Perser in unserem Rücken zurücklassen; … weil dann die Perser wieder Herren der Meeresküsten werden könnten. Und wenn wir mit unserer Streitmacht gegen Babylon und Dareios in weite Ferne vorgerückt sind, dann könnten sie im Bunde mit einer grösseren Flotte den Krieg nach Griechenland hinübertragen …»[83] Ein weiteres Zeugnis für Alexanders überlegtes Handeln sind die Vorbereitungen zur Fahrt des Nearchos von der Mündung des Indus bis in den Persischen Golf. Alexander liess Brunnen graben, damit die an der Küste entlangfahrende Flotte ausreichend mit Wasser versorgt werden konnte.[84]

Bei allem «Drang nach vorne» war Alexander kein Hasardeur, der leichtfertig die eigenen Kräfte überschätzte, einmal Errungenes schutzlos zurückliess oder Unternehmungen ohne vorherige Absicherungen durchführte. John F. C. Fuller sagt von Alexander: «Although he was one of the most audacious generals in history, the risks he accepted were seldom left to chance; they were carefully weighed and calculated possibilities.»[85] Peter Bamm nennt Alexander sogar einen «Pedant der Sicherheit.»[86] Es ist erstaunlich, wie zielstrebig und vorsichtig zugleich Alexander handelte. Trotz immer länger werdenden Kommunikationswegen gelang es ihm, sowohl die Verbindung mit der Heimat, als auch die Nachschubwege offenzuhalten. Seine Fähigkeit, in Gesamtzusammenhängen zu denken, resultierte vor allem aus der realistischen Einschätzung der eigenen Mittel und Möglichkeiten und derjenigen potentieller Gegner.

Besinnung auf eigene Stärken bedeutet, sich auf eine Aufgabe zu konzentrieren und Schwerpunkte zu setzen. So hat sich Konosuke Matsushita mit seiner General Electrics auf die Verbesserung eines bestehenden Produkts spezialisiert, das heisst, er machte es qualitativ besser und billiger dank Massenproduktion. Ganz im Gegensatz zu Akio Morita's Sony, welcher sein Unternehmen im high-tech Bereich und mit Neuentwicklungen vorantrieb.[87] Viele erfolgreiche CEO's von kleineren Spitzenunternehmen konzentrieren sich voll und ganz auf «ihre» Firma und arbeiten wie Besessene für deren Wohlergehen.[88]

Halbherzigkeiten, lauwarme Begeisterung oder nur teilzeitliche Fokussierung genügten noch nie, um erfolgreich zu werden und es dann auch zu bleiben. So gesehen, sind die in der Schweiz lange üblichen Mehrfachkarrieren in Wirtschaft, Politik und Armee – man denke an den Unternehmer, der als Milizler, also quasi im «Nebenamt», auch noch Nationalrat und Oberst war – praktisch nicht mehr in glaubwürdiger Art und Weise möglich. Die Anforderungen sind allseits gestiegen und erfordern von einer Führungskraft, sich auf Kernbereiche ihres Wirkens zu konzentrieren. «Wer's nicht nobel treibt, lieber weg vom Handwerk bleibt», sagte schon Friedrich Schiller.

Fokussierung, im militärisch-taktischen Sprachgebrauch als Konzentration der Kräfte bekannt, darf aber nicht zu einer Verengung des Blickwinkels auf eine einzige Aufgabe führen oder zur Inflexibilität, nur noch das zu tun, was man ohnehin schon gut kann. Zwar werden sich Führende der mittleren Führungsebenen wahrscheinlich mit nur einem oder zwei Zielen zu einer bestimmten Zeit beschäftigen; auf der normativ-strategischen Ebene gibt es aber eine Vielzahl von Zielen, die vom CEO fokussiert, analysiert und in Prioritäten umgesetzt, koordiniert und mit den Unterführern besprochen werden müssen.[89] Fokussiertheit ist demzufolge flexibel und variabel in bezug auf die Führungsebene und die zeitliche Dimension. Ein Beispiel aus dem militärischen Bereich mag dies verdeutlichen. Gegen Ende der 100-Stunden-Landoffensive der alliierten Streitkräfte gegen den Irak war die politisch-strategische Führung auf die Frage fokussiert, ob mit der Wieder-Inbesitznahme von Kuwait der Krieg beendet oder ob weiter nach Bagdad vorzustossen sei. Die taktischen Führer waren nach viertägigem konstantem Kampf mit ganz anderen Dingen beschäftigt, ging es doch auf dieser Stufe darum, das Gros der kombattanten Truppe mindestens während 24 Stunden ruhen zu lassen und den

logistischen Nachschub, vor allem an Wasser, Treibstoff und Muni-
tion sicherzustellen. Offensichtlich wäre es der Mehrheit der Bo-
dentruppen zu diesem Zeitpunkt gar nicht möglich gewesen, den
Angriff ohne Reorganisationsphase weiter in Richtung Bagdad zu
führen. [90]

Sich in den Gegner hineindenken

> «Da hielten die Geten nicht einmal die erste
> Attacke der Reiter aus. Denn das verwegene
> Unternehmen Alexanders kam ihnen völlig
> unerwartet, zumal er so leicht, in einer einzigen
> Nacht, den grössten aller Ströme (Donau,
> Anm. der Autoren) überschritten hatte, ohne
> erst eine Brücke über ihn zu schlagen.» [91]

Informationen über andere Völker mass Alexander immer grosse
Bedeutung zu. So berichtet Plutarch, dass der junge Alexander
während Philipps Abwesenheit Gesandte des persischen Königs
empfangen habe: «Er erkundigte sich nach der Länge des Weges,
nach der Möglichkeit, ins Innere Asiens zu reisen, und dann nach
dem Könige selbst, wie er sich gegen die Feinde verhalte und wie
gross die Macht der Perser sei.» [92] Darüber gerieten die persischen
Gesandte in Staunen.

   Die Liste der Aktionen, bei denen Alexander seine Gegner immer wieder überraschte, ist lang und vermag uns auch noch heute in Erstaunen zu versetzen: Entgegen dem Rat seiner Ingenieure
blieb Alexander dabei, dass die Stadt Gaza erobert werden müsse.
Dies erscheine zwar unmöglich, aber gerade weil dieses Unternehmen aller Vernunft Hohn spreche, werde es die Feinde furcht-
bar erschrecken. In der Folge liess er einen Damm rings um die
Stadt aufschütten, damit auf diesem, in gleicher Höhe wie die
Stadtmauern, die Belagerungsmaschinen aufgestellt werden konnten. [93]

Während der Schlacht bei Gaugamela liessen die Perser ihre Sichelwagen direkt auf Alexander los, um seine Phalanx zu zerschmettern. Doch es kam ganz anders, als die Perser dachten: Die Makedonier kämpften sie mit Speeren nieder oder fielen den Pferden in die Zügel, rissen die Fahrer von den Wagen herunter und hieben sie nieder. Einige Sichelwagen brachen zwar durch die makedonischen Regimenter durch. Doch diese zogen ihre Reihen an den Stellen, wo die Wagen gerade auf sie zu kamen, rasch auseinander, und so kamen die Wagen zwar unversehrt durch, hatten aber in Alexanders Reihen überhaupt keinen Schaden angerichtet. [94]

Vor dem Kampf gegen die Stadt Massaga erkannte Alexander, dass die Schlacht nahe der Stadt sein würde. Er wollte die Inder weiter von ihren schützenden Mauern weglocken, damit sie sich, wenn in die Flucht geschlagen – und damit rechnete Alexander bestimmt –, nicht mühelos auf kurzem Wege in die Stadt retten konnten. Alexander gab seinen Leuten den Befehl kehrtzumachen und zu einem Hügel zurückzugehen. Sobald der Gegner aber in Schussweite kam, liess Alexander seine Truppen gemäss der Verabredung wieder Front machen. Die Inder, durch die gänzlich unerwartete Wendung der Dinge erschreckt, flohen zurück und verloren gegen 200 Mann. [95]

Im Kampf gegen Poros liess Alexander nachts die Masse seiner Reiter bald hierhin, bald dorthin am Ufer des Hydaspes entlangjagen und zwar unter gewaltigem Kriegsgeschrei. Er liess überhaupt Lärm und Getöse aller Art machen, wie es geschieht, wenn sich Truppen mit ihrem Gepäck und Tross zum Übergang rüsten. Poros aber zog auf das Geschrei hin dem Feinde auf der anderen Seite mitsamt seinen Elefanten entgegen. Alexander wiederholte dieses Manöver jede Nacht und gewöhnte Poros allmählich daran. Daher machte Poros, als dies oft geschah und es nur Geschrei und Kampfgebrüll war, auf die Manöver bald keinerlei Gegenbewegungen mehr, weil er das Ganze für blinden Alarm hielt. Als Alexander auf diese Weise erreicht hatte, dass das Heer des Poros auf seine nächtlichen Scheinbewegungen nicht mehr reagierte, führte Alexander seinen Hauptharst ca. 27 km stromaufwärts, setzte über den Hydaspes, ging Poros entgegen und schlug ihn.[96]

Im Kampf gegen die Stadt Kyropolis gelangte Alexander zuerst mit nur wenigen Leuten unbemerkt durch die Ausflussstellen in die Stadt,[97] und in der Auseinandersetzung mit den Mallern marschierte Alexander gegen sie durch die Wüste, was diese für unwahrscheinlich gehalten und sich unbewaffnet ausserhalb der Stadt aufgehalten hatten.[98]

Alexander darf zweifelsfrei als Meister der Aufklärung, der Datenanalyse und – im Sinne der Synthese – der überraschenden, vom Gegner unerwarteten Aktion bezeichnet werden. Alexander ist in der Kriegsgeschichte aber nicht der einzige Feldherr, der seine Gegner überraschte und dort angriff, wo es am Wenigsten erwartet wurde, wie nachfolgende Beispiele zeigen.[99]

Im Jahre 217 v. Chr. führte Hannibal sein Heer durch die weiten Sümpfe des Arno in der Toskana, was die Römer nicht erwartet hatten, und zwang sie zur Aufgabe ihrer eigenen starken Stellung und zum Marsch gegen die Karthager. Hannibal lockte die Römer in einen Hinterhalt und schlug sie vernichtend bei den Trasimenischen Seen. Acht Jahre später vermuteten die Karthager, dass Scipio ihre Armee in Spanien im Visier hatte, und liessen ihre Hauptstadt und den wichtigsten Hafen, Kartagena, ohne Schutz. Scipio nahm die Hauptstadt, unterbrach die Verbindung zu Kartagena und verbündete sich mit mehreren spanischen Stämmen. So zwang Scipio die Karthager in die strategische Defensive.

Um 1220 griff Dschingis Khan mehrere gegnerische Städte entlang des Jaxartes an. Während der Gegner auf die Verteidigung dieser Orte konzentriert blieb, führte Dschingis Khan ein Heer über mehr als 450 km durch eine als unpassierbar gehaltene Wüste im Süden des Aral-Sees in den Rücken des Feindes, isolierte die Hauptstadt und blockierte Verstärkungen aus dem südlichen Teil des Landes. Daraufhin war es nurmehr ein leichtes, sich des gesamten Reiches des völlig aus der Fassung geratenen Gegners zu bemächtigen.

Napoleon liess während des Feldzuges in Norditalien, im Jahre 1796, die Österreicher im Glauben, Valenza am Po sei sein ultimatives Ziel, worauf diese ihre Kräfte konzentrierten. Mit dem Gros seiner Kräfte marschierte Napoleon nun aber stromabwärts in Richtung Piacenza, zugleich alle österreichischen Verteidigungspositionen aufrollend. So wurde der Gegner gezwungen, seine Stellungen in Norditalien, mit Ausnahme der Festung Mantua, aufzugeben.

Im amerikanischen Bürgerkrieg gelang es 1862 dem konföderierten General Thomas J. «Stonewall» Jackson sein Gegenüber, den Unions-General Nathaniel Banks, in den Glauben zu versetzen, er stosse direkt in Richtung Shenandoah Valley, wo Banks seine Hauptkräfte konzentriert hatte. Stattdessen überquerte Jackson das Massanutten Gebirge, nahm Front Royal, eine Stadt im Rücken der Unionisten und unterband deren direkte Eisenbahnverbindung nach Washington. «Stonewall» Jackson zwang so seinen Gegner zum Rückzug.

Im Sommer 1940 griff Hitler-Deutschland mit starken Kräften Belgien und Holland an. Mobile französische und britische Kräfte stiessen nordwärts, um den deutschen Vormarsch aufzuhalten. Dies hatte der spätere Generalfeldmarschall Erich von Manstein vermutet. Deshalb sah sein von Hitler genehmigter Plan vor, das Gros der deutschen Panzerverbände durch die als nicht panzergängig geltenden Ardennen zu senden, das nur schwach verteidigte Sedan einzunehmen und anschliessend Richtung Westen an die Kanalküste zu stossen. So konnten die alliierten Armeen eingeschlossen und Frankreich bezwungen werden.

1950, als die gesamte nordkoreanische Armee die verbleibenden UN-Streitkräfte in einen schmalen Korridor bei Pusan, im Süden Koreas, zurückstiessen, landete General Douglas Mac Arthur bei Inchon, im Nordwesten des Landes, und nahm die für den Gegner überlebenswichtigen Kommunikationswege in Besitz und verursachte so den Kollaps der im Süden kämpfenden nordkoreanischen Armee.

1991, im zweiten Golfkrieg, täuschte die alliierte Führung unter General Norman Schwarzkopf die irakischen Streitkräfte, indem sie den Gegner in den Glauben versetzte, der Angriff erfolge frontal, das heisst von Süden und vom Meer her. Dies verführte die irakische Führung dazu, ihre westliche Flanke ungeschützt zu lassen. Die Alliierten führten den Hauptstoss mit den beweglichen und gepanzerten Verbänden in die Tiefe des irakischen Raumes und umfassten den Gegner von Westen her.[100] Die Arroganz Saddam Husseins, seine Kontrahenten politisch und militärisch völlig zu unterschätzen, hatte mit zum beachtlichen militärischen Erfolg der Alliierten geführt.[101]

Kenntnisse über einen potentiellen Gegner, insbesondere über seine Mittel und seine Möglichkeiten, sind nicht nur in der Kriegführung von zentraler Wichtigkeit für die Wahl des eigenen Vorgehens. Die Nachrichtenbeschaffung und -auswertung gehört zu den zentralen Aufgaben aller grösseren Organisationen, Armeen wie Unternehmen, und von deren Führungskräften. Nachrichtenbeschaffung kann nämlich auch als Lernprozess verstanden werden. So hat Konosuke Matsushita von seinen Direktoren immer wieder gefordert, von der «kollektiven Weisheit» zu lernen. Darunter verstand er das Lernen von anderen, auch von Menschen ausserhalb des Konzerns, zum Beispiel von Lieferanten und Kunden; von anderen Firmen erhoffte er sich Ideen für die Verbesserung der eigenen Produkte.[102] Matsushita, der keine akademische Ausbildung genossen, aber aus seinen eigenen, oft harten Erfahrungen gelernt hatte und so sein Leben lang anpassungs- und lernfähig blieb, verblüffte seine Umwelt immer wieder mit unkonventionellen Ideen. Die von ihm 1922 entwickelte Lampe für Velos wurde von allen Elektro- und Fahrradhändlern als ein zu riskantes Geschäft abgelehnt. Da erfand er ein total neues Konzept: Er stellte drei Verkäufer an, die in Osaka alle Velohändler besuchten, ihnen einige der neuen Lampen kostenlos überliessen und sie versicherten, dass sie erst dann zahlen müssten, wenn die Lampen verkauft und die Kunden zufrieden seien. Dieses neue, im damaligen Japan völlig unbekannte System zahlte sich aus. Die Matsushita-Lampe wurde zum Kassenschlager, und 1924 produzierte seine Fabrik 10 000 Stück pro Monat.[103]

Aus jüngster Zeit verdient es die in Toronto ansässige Firma Cott Corporation, als Beispiel für unkonventionelle, die Konkurrenz überraschende Aktionen erwähnt zu werden: Cott stellte ein Cola-Konzentrat her, das an Einzelhändler und Supermarktketten verkauft wurde. Diese vermarkteten das Getränk, das billiger als das Original von Coca-Cola oder PepsiCo war, unter ihren eigenen Markennamen; sie konnten dabei den Preis der Qualitätsmarken Coke und Pepsi unterbieten und trotzdem eine höhere Gewinnmarge erzielen. Der Umsatz von Cott Corporation explodierte von 43 Mio kanadischen Dollar im Jahre 1989 auf 665 Mio im Jahre 1993. Der überraschende Angriff von Cott verunsicherte die Cola-Riesen. Im Jahre 1994 fiel der Aktienpreis von Pepsi in New York innerhalb von zehn Tagen um 16 %, die kanadische Tochter von Coke schloss im gleichen Jahr acht ihrer Werke und 62 ihrer Verwaltungsbüros.[104]

Als der taiwanesische Autohersteller Daewoo 1995 auf den britischen Markt ging, mit dem Ziel, einen Marktanteil von einem Prozent zu erobern, verkaufte er seine Produkte in einer Kette von Fahrrad- und Autoersatzteilgeschäften und nicht bei den herkömmlichen Autohändlern. Diese Detailhandelskette kassierte keine Provisionen, sondern profitierte von den zusätzlichen Kunden. Im Geschäft stehen zwei oder drei Daewoos, und Mitarbeiter bemühen sich um potentielle Autokäufer, während die Kinder gleichzeitig betreut werden oder mit interaktiven Medienstationen spielen können. Daewoo verkaufte in den ersten acht Monaten 12 000 Autos, das sind 0,9 % des britischen Marktes. Daewoo bewies damit, dass Autos nicht immer nach derselben Methode verkauft werden müssen.[105]

Sich in den Gegner hineindenken, bedeutet für Führende in der Wirtschaft, vom Markt und von den Kunden auszugehen. Michael Dell, der Gründer und CEO von Dell Computer, formulierte es so: «Die andern Firmen stehen eigentlich alle im Zeichen einer technischen Denkweise, nach dem Motto ‹Technologie ist die Antwort›. Unser Unternehmen haben wir sozusagen vom Standpunkt des Kunden aus geschaffen. Und als wir das machten, erschien das vielen als rückständig. Von den Ansichten der Kunden auszugehen war etwas ziemlich Ungewöhnliches. Aber das ist die Triebfeder dieses Unternehmens, und daran wird sich auch in Zukunft nichts ändern.»[106] Einen ähnlichen Ansatz verfolgte Helmut Maucher bei Nestlé: In Vevey wird die globale Strategie entwickelt; die Führenden in den einzelnen Ländern sind gehalten, auf die dortigen Unterschiede der Kultur, des Geschmacks und des Kaufverhaltens einzugehen. Jeder Markt hat seine Besonderheiten, und der Markt ist die Hauptsache.[107] Toru Hashimoto, Präsident und CEO der Fuji Bank Ltd., ging dazu über, seine Führungskräfte zu 50% nach dem Ertrag und zu 50% nach ihrer Kundenorientierung zu bewerten.[108] Heute hat der Kunde mehr Zeit und weniger Geld. Er hat kein Produkteproblem, da ihm gute Produkte zu Hauf angeboten werden. Es findet eine Verlagerung statt vom Qualitätsanspruch an das Produkt zur Kommunikationsleistung des Anbieters. Erfolgreich ist derjenige, dem es gelingt, die Kundenerwartung im Markt der Kommunikationsangebote mit den passenden Produkten zu erfüllen.[109]

«Er (Alexander) wollte den Wagen des Gordias
sehen und die Verknotung des Wagenjoches.
… Man erzählte aber von dem Wagen auch
noch etwas anderes, eine alte Weissagung nämlich: wer die Verknotung des Wagenjoches löse,
der würde Herr von ganz Asien werden. Es
bestand aber die Verknotung aus Rindenbast
eines Kornelkirschbaums, und man konnte
weder Anfang noch Ende der Schnur finden.
Alexander sah keine Möglichkeit, die Verknotung zu lösen. Und doch wollte er sie nicht
ungelöst lassen, damit nicht auch dadurch eine
Aufregung unter den Menschen entstände.
Und da hätte er – so sagen die einen – mit
dem Schwert den Knoten zerhauen und
behauptet, ihn gelöst zu haben. Dagegen sagt
Aristobulus, er hätte den Holzpflock aus der
Deichsel herausgezogen, der durch diese ganz
durchgetrieben war und den Knoten zusam-
menhielt. Und so hätte er aus der Deichsel das
Joch gelöst.» [110]

Die Schwierigkeiten, mit denen Alexander im Verlaufe seines Lebens konfrontiert wurde, waren immens; einzelne erscheinen auch
im Rückblick als kaum überwindbar. Die grossen Schlachten bei
Issos, Gaugamela und am Hydaspes, die Belagerungen von Tyros,
der Felsenburg in Sogdiana, des Felsens des Chorienes oder die
Durchquerung der Wüste von Gedrosien waren riesige Hindernisse auf dem Weg zur Schaffung des angestrebten Weltreiches.
Hätte Alexander jede Hürde nach dem immer gleichen Rezept –
analog seinem Gegenspieler Dareios –, zum Beispiel allein mit rein
militärischen Mitteln und Methoden zu überwinden versucht,
wäre er unweigerlich früher oder später gescheitert. Eines seiner

Geheimnisse liegt gerade darin, auf jedes einzelne Problem eine passende, massgeschneiderte Lösung gefunden zu haben. Seine Anpassungs- und Improvisationsfähigkeit waren erstaunlich. Er liess sich nie entmutigen und versuchte hartnäckig so lange, bis der «Knoten» gelöst oder durchhauen war.

Offenbar sind gerade schwierige Lagen und Umstände dazu angetan, einzelne Menschen nicht zu entmutigen, sondern im Gegenteil herauszufordern und zu Höchstleistungen anzuspornen: Not macht erfinderisch.

Militärwissenschaftliche Untersuchungen belegen, dass einzelne Menschen, die während des Ausbildungsdienstes im Frieden entweder unauffällig blieben oder sogar eher negativ auffielen, in einer drohenden Krisensituation, vor allem dann, wenn sie Verantwortung zu tragen hatten, regelrecht über sich hinauswuchsen und grosse Taten vollbrachten.[111]

Auch aus dem zivilen Bereich ist uns bekannt, welche Kräfte die Übernahme von Verantwortung freimachen kann. Als Helmut Schmidt nach seiner Wahl zum deutschen Bundeskanzler im Mai 1974 unter dem Stress und der grösser gewordenen Verantwortung förmlich aufblühte, waren etliche politische Beobachter erstaunt, da Schmidt in den vorangegangenen Jahren häufig gekränkelt hatte.[112] Das Gegenteil geschieht leider auch: Führungspersönlichkeiten fallen nach der Abgabe der Verantwortung häufig in ein «Loch», werden krank oder sterben überraschend an einem Herzinfarkt. In den unmittelbaren Jahren nach der Pensionierung, das heisst zwischen dem 58. und dem 65. Altersjahr, scheinen ehemalige Führungskräfte besonders gefährdet zu sein.

Wer kennt nicht die vielen Erfolgsstorys von Persönlichkeiten, die in Amerika, dem Land der unbegrenzten Möglichkeiten, vom Tellerwäscher bis zum Konzernleiter und Millionär oder sogar Milliardär aufgestiegen sind? Der Aufstieg von Konosuke Matsushita basierte auf härtesten Erfahrungen: Im Alter von fünf Jahren verlor sein Vater im Spiel sein ganzes Vermögen, die Familie verarmte und verlor fast jedes Jahr ein Kind an einer Krankheit. Mit neun Jahren begann Matsushita als Gehilfe in einer kleinen Fahrradwerkstätte in Osaka, erst sechs Jahre später verliess er seinen Arbeitgeber und arbeitete zuerst in einer Zementfabrik und anschliessend von 1910 bis 1917 bei Osaka Light. Dann, im Alter von 23 Jahren, startete er zusammen mit seiner Frau und drei Gehilfen ein eigenes Unternehmen. Enorme Schwierigkeiten waren zu überwinden bis daraus ein einigermassen florierendes Geschäft wurde. Die Depression der späten zwanziger Jahre und der totale Kollaps nach dem Ende des Zweiten Weltkrieges waren kolossale Rückschläge und zeigen auf, dass es so etwas wie einen linearen Aufstieg nicht gibt. Alle Krisen schienen Matsushita nur noch mehr anzustacheln, sein Unternehmen zu retten und weiter zu entwickeln. Interessant ist auch die Feststellung, dass er insbesondere in seinen früheren Lebensjahren oft krank war und das Bett hüten musste. Kaum war aber eine Schwierigkeit aufgetaucht, so rappelte er sich auf und versuchte das Problem zu lösen. Wie auf wundersame Weise verschwanden zugleich auch die Beschwerden. Harte Zeiten machen stärker. Matsushita war geprägt von der Überzeugung, dass etwas gut ausgehen werde. Er war ein Optimist, der die Worte «es geht nicht» aufs schärfste missbilligte.[113] Allen Sheppard, Chairman des britischen Konzerns Grand Metropolitan, verlangte von seinen Führungskräften, sich nicht ins angeblich Unvermeidliche zu fügen und nie das Wort «unmöglich» in den Mund zu nehmen; nur das Wort «schwierig» war erlaubt.[114]

Es geht darum, trotz Rückschlägen weiterzumachen.[115] General Fred Franks jr., Kommandant des VII. US-Korps im Golfkrieg, ist ein lebendes Beispiel dafür: Nach einer schweren Verwundung in Vietnam musste er sich durchringen, sein linkes Bein unterhalb des Knies amputieren zu lassen, auch wenn damit das Ende seiner Karriere in der Armee verbunden sein sollte: «As I looked back on it, the difference in my thinking before and after the operation was that of night and day. It's okay, I was able to say to myself, I've got to go on now. I'm going to get well physically. I've got a mission in life. I've got to pass from here. I've been like a fool to my family. I've got to focus, get back up off the deck swinging. I've been down long enough. It felt good to be able to fight back.»[116] Im gleichen Jahr verloren die Franks' ihr zweites Kind. Trotz aller Schicksalsschläge gab Fred Franks nicht auf. Er wurde wieder in die Armee integriert und beendete seine Laufbahn als amerikanischer 4-Sterne-General.

Aufgaben mit einem hohen Schwierigkeitsgrad haben vielfach einen hohen Wert: Einmal einen Lerneffekt und dann möglicherweise auch einen Wettbewerbsvorteil, wie folgende Beispiele verdeutlichen mögen: Die Niederlande gelten heute als Tulpenland par excellence. Das ist aber nicht selbstverständlich. Das eher regnerisch-unfreundliche Klima und die beschränkten Platzverhältnisse überwanden die Holländer mit speziellen Zucht- und Konservierungstechniken, mit Landgewinnung und der optimalen Nutzung des für Tulpen idealen Sandbodens.[117] Eine analoge Geschichte lässt sich über die Schweiz erzählen, welche als rohstoffarmes, gebirgiges und kleines Binnenland keineswegs prädestiniert war, high-tech Uhren und Maschinen oder hochwertige Pharma-Produkte herzustellen, die sich auf dem Weltmarkt behaupten konnten.

Eine Studie, die Ende der 80er Jahre unter anderem untersuchte, weshalb es ältere Organisationen geschafft hatten zu überleben, stellte fest, dass diese – hauptsächlich durch «Experimente im Randbereich» – immer Ausschau nach neuen Geschäftsmöglichkeiten hielten, welche sie ständig neu herausforderten, zu lernen und zu wachsen.[118]

Gerade grössere Unternehmen bekunden oft Mühe, sich noch zu verbessern. Innovatives, risikofreudiges Handeln, Vorpreschen, um die Nase vorn zu haben, sind möglicherweise Ansätze, die eigene Marktstellung zu halten, sich bestenfalls schrittweise zu verbessern oder im schlimmsten Fall durch Lernen wenigstens mental nicht stehen zu bleiben. Als anfangs der 80er Jahre eine Umfrage unter Flugpassagieren ergab, dass zwei Drittel dachten, British Airways sei weder besser noch schlechter als die anderen Gesellschaften, erkannte Sir Colin Marshall, CEO von British Airways, die Chance, sich durch guten Service einen Wettbewerbsvorteil zu verschaffen. Er lancierte sogenannte Bewusstmachungsprogramme für seine Mitarbeiter. Ende 1983 wurde «Putting People First» initiiert, dann folgten «Managing People First», «To be the Best» und «A Day in the Life». Seither befand sich British Airways im Aufwind.[119]

Das Führen einer Buchhaltung, die Reparatur eines Fahrzeuges oder die Fabrikation eines Konsumgutes unterliegen bestimmten Regeln und Gesetzmässigkeiten. Wer in diesen Handlungsabläufen sein Handwerk beherrscht und seine Arbeit gut macht, schafft ein nützliches Endprodukt. Hier herrscht noch so etwas wie Sicherheit: Kompetenz + Wille + Regelkonformität = Erfolg. Oft ist eine Verwaltermentalität die Folge dieser scheinbaren Sicherheit. Solche Manager eines Optimierungsprozesses bewährter Abläufe sind erstaunt, weshalb heutzutage der Erfolg oft ausbleibt.

Denn heute schaffen globale Märkte und Kommunikationsnetze sowie ständiger Wandel ein Klima der Unsicherheit. Die erwähnte Addition von Sachverstand und Leistung garantiert den Erfolg nicht mehr. Es fehlen klare Patentrezepte zum Erfolg. Nur über initiatives Handeln und risikofreudiges Wirken können entscheidende Fortschritte, zum Beispiel Marktvorteile oder politische Akzeptanz, erzielt werden. Es genügt nicht mehr, Bestehendes zu verbessern. Leadership ist gefragt, Neues muss gewagt und Grenzen müssen überwunden werden.

«Alexander zeichnete sich in höchstem Masse aus durch Schönheit, zähe Ausdauer, leidenschaftliches Temperament, kühne Entschlusskraft, Ehrgeiz, Freude am Risiko und Ehrfurcht vor Gott. Allen fleischlichen Genüssen gegenüber war er sehr enthaltsam, in seinem Beifallshunger jedoch unersättlich.»[120]

Die körperliche Konstitution Alexanders muss ausdauernd, zäh und leistungsfähig gewesen sein. Er widerstand Strapazen, Erkrankungen und Verletzungen, schulte sich immer wieder im Gebrauch der Waffen und nahm an leichtathletischen Wettkämpfen teil. Nach seinen Siegen pflegte er regelmässig den Göttern zu opfern sowie sportliche und musische Wettkämpfe durchzuführen. In seinen leiblichen Bedürfnissen zeichnete ihn eine gewisse Anspruchslosigkeit aus. Die Hauptmahlzeit nahm er – nach dem täglichen Bade – in der Regel abends im Kreise seiner Freunde ein. Er achtete dabei auf sorgfältige Zubereitung und Verteilung der Speisen, verzichtete selber aber auf besondere Leckerbissen. An den nächtlichen Trinkgelagen nahm er regelmässig teil.[121]

Alexander gönnte sich und seiner Truppe immer wieder Ruhe und Entspannung, so etwa vor der Schlacht bei Gaugamela, als er – ca. 5,3 km vom Feinde entfernt – seine Truppe haltmachen liess und befahl, die Hauptmahlzeit einzunehmen und danach auszuruhen. Dareios und sein Heer blieben in der Nacht in derselben Schlachtordnung, die sie von Anfang an eingenommen hatten. Nach Ansicht von Arrian war für die Perser gerade das lange Stillstehen in voller Rüstung und die Furcht, die sich gewöhnlich vor grossen Gefahren in die Herzen zu schleichen pflegt, der Anfang vom Ende.[122]

Alexanders Interessen gingen weit über das Militärische hinaus. Er las und zitierte griechische Dichter, mit Vorliebe Homer, unterhielt sich mit griechischen und indischen Philosophen und hörte gerne Musik.[123]

Es fällt auf, dass Alexanders Leben – auch während des Feldzuges durch Asien – von einer gewissen Ausgeglichenheit geprägt war: Auf Phasen der intensivsten körperlichen und geistigen Anstrengungen folgten Phasen des Opferns, der Spiele, der Musse und des Auftankens neuer Kräfte. Alexanders körperliche und emotionale Widerstandskraft beruhte wohl gerade auf seiner Fähigkeit, Körper und Geist extrem zu belasten und nach solchen Anspannungen wieder auszuruhen und wieder zu Kräften zu kommen. Vor grossen Herausforderungen soll er erstaunlich gelassen gewesen sein. Plutarch berichtet, dass Alexander am Morgen der Schlacht bei Gaugamela von Parmenion geweckt werden musste.[124] Und Arrian erzählt, es sei Alexander «langes Schlafen» vorgeworfen worden.[125]

Führungskräfte, von denen Höchstleistungen erwartet werden und von welchen verlangt wird, in engem Kontakt mit dem täglichen Geschehen, mit Mitarbeitern, Kunden und Medien zu leben, benötigen einen gewissen Lebensrhythmus. In regelmässigen Abschnitten sollten sie sich Zeit nehmen, um Körper und Geist zu regenieren. Dieses Sich-Zurückziehen schafft Ruhe, die Möglichkeit des Reflektierens, um neue Kräfte für morgen zu akkumulieren, und verhindert das «Ausbrennen».[126]

Entspannende Musse und eine neue Umgebung können ein kreatives Umfeld schaffen, wie dies John Reed, CEO von Citicorp, beschreibt: «Im September, vor dem dritten Quartal, hatte ich mich irgendwie erschöpft gefühlt. Ich hatte schon ewig kein freies Wochenende mehr gehabt, also fuhr ich für eine Woche nach Italien, einfach um mal rauszukommen. … Ich stand immer sehr früh auf, machte lange Spaziergänge und setzte mich dann irgendwann zwischen sieben Uhr morgens und Mittag auf eine Parkbank, nachmittags besuchte ich Museen oder andere Sehenswürdigkeiten. Ich hatte ein Notizbuch, ein italienisches Notizbuch, und ich schrieb mir selbst lange Aufsätze über die Dinge, die mich beschäftigten und die mir Sorgen machten. Das half mir, meine Gedanken zu ordnen. Dann tat ich nachmittags gar nichts mehr. Am Ende des dritten Quartals habe ich dann die Reorganisation im Unternehmen durchgeführt.»[127] Der «retreat» kann ein spirituelles bzw. religiöses Suchen nach schöpferischer Kraft sein, so wie wir das zum Beispiel vom Rückzug Moses' auf den Berg Sinai, von den Gebeten Martin Luther Kings jr. oder von der Meditation Mahatma Gandhis kennen.

Kraftspender können aber auch der tägliche Spaziergang sein, wie dies de Gaulle zu tun pflegte, oder regelmässige, den eigenen Möglichkeiten angepasste körperliche Betätigung als Ausgleich zur vorwiegend geistigen Tätigkeit und zur Erhaltung der Leistungsfähigkeit: «Bewegungstraining schafft den Power-Mix, der die Intelligenz aus ihrer Isolation befreit … Bestürzend einfaches Mittel für verblüffend grosse Erfolge – und zwar auf der ganzen Linie: für die Gesundheit, für das subjektive Wohlbefinden, die Belastbarkeit, die Stressresistenz, für mehr Selbstvertrauen, mehr Lust an Leistung – und für die Kommunikationsqualität, die im Führungsprozess die Menschen verbindet.»[128] Bewegungstraining meint nicht Parforce-Leistungen wie im Falle von US-Präsident Jimmy Carter, der während seiner Amtszeit einmal aus Gründen der persönlichen Publicity an einem öffentlichen Strassenlauf teilnahm und prompt einen Kollaps erlitt.

Gelassenheit ist der Ausdruck eines gesunden Selbstbewusstseins und das Resultat einer ausgewogenen Lebensweise zwischen Stress einerseits und Musse und Bewegung anderseits. Die gelassene Führungskraft wirkt zwar gegen aussen ruhig und abgeklärt, im Innern schlummern aber Kraftreserven, die sich im entscheidenden Moment in zündende Ideen, Entschlusskraft oder in innovatives Handeln verwandeln können. Ein Unternehmensberater erzählt von einer Begegnung mit Philip Knight, dem Chef von Nike, während eines Fluges: «Hinter uns sass jemand vom mittleren Kader. Er verbrachte den ganzen Flug am Telefon, bellte Anweisungen hinein und verbrauchte eine Unmenge von Energie mit viel Lärm (um nichts). Es war, als wolle er den Leuten zeigen, wie wichtig er war. Unterdessen verbrachte der Milliardär Phil, in dessen Unternehmen Tausende von Leuten Arbeit finden, seine Zeit mit Denken, Lesen und Dösen. Eine spürbare Gelassenheit umgab ihn, und mir wurde klar, wieviel Energie bei Geschäften durch das Ego und Vorgeben falscher Macht vergeudet wird.[129]

Nicht alle Vorgesetzte, die den Anschein von Ruhe und Zuversicht geben, sind auch wirklich gelassen und besitzen innere Antriebskräfte zum Wandel. Ein anschauliches Beispiel hierfür ist Marschall Joffre, der französische Oberbefehlshaber zu Beginn des Ersten Weltkriegs. Im kritischsten Augenblick, als die deutschen Armeen unweit vor Paris standen, hielt Joffre strikt an einem geordneten Tagesablauf fest, dinierte dreimal im Tag, und zwar recht opulent, spazierte mit seinem Hund und ging abends regelmässig um 22.00 Uhr ins Bett. Nichts konnte ihn aus seiner Ruhe und Zuversicht bringen. Sein Wesen und Handeln strömte die für die Überwindung der Krise so notwendige Unerschütterlichkeit aus.[130] Mit seiner Strategie des Haltens und der Abnützung verhinderte er massgeblich die frühe Niederlage Frankreichs. Als es aber in der Folge darum ging, den Stellungskrieg zu überwinden und Erfolge zu erzielen, war Joffre zu wenig innovativ und zu wenig risikofreudig. Er wurde ersetzt durch General Nivelle.[131] Der sture Tagesablauf Joffres scheint irgendwie charakteristisch zu sein: Einerseits gibt er einer Person Halt und Sicherheit sowie der Umwelt eine gewisse Zuversicht; anderseits sind Ordnung, Gleichmässigkeit und äusserliche Verlässlichkeit zu wenig, um Neues hervorzubringen und aus einer Pattsituation auszubrechen. Joffre vermittelt eher das Bild des Verwalters oder des Managers, der das Gegebene optimiert, nicht aber dasjenige eines Leaders, einer modernen Führungspersönlichkeit.

Keine Zeit zu haben, ist vielfach eine Flucht vor der Verantwortung für das Meistern der Gegenwart und für die Gestaltung der Zukunft. Geschäftigkeit als Ausflucht, als Verhinderung für das Aufladen der Batterien, letztlich auch als unbewusste Selbstzerstörung. Dieses Keine-Zeit-Haben-Wollen ist so neu nicht. Graf Zedlitz-Trützschler, der Hofmarschall Kaiser Wilhelms II., klagte: «Neun Monate reisen, nur die Wintermonate zu Hause! Wo aber bleibt auch da bei fortgesetzter Geselligkeit Zeit für ruhige Sammlung und ernste Arbeit?»[132] Wo nehmen heute Führungskräfte ihre

Kraft her, wenn sie ständig auf Reisen sind, Abend für Abend Vorträge vor Verbänden oder Serviceclubs halten oder sogenannte Repräsentationspflichten wahrnehmen? Wann erholen sie sich und tanken neu auf? Wann nehmen sie sich Zeit, strategisch und zukunftsorientiert zu denken?

Würdigung

Alexander zeichnete sich aus
- durch sein visionäres Denken und Handeln;
- durch Energie, gewaltigen Tatendrang, der ihn immer wieder Neues erstreben liess, und grosse Neugier;
- durch Besinnung auf eigene Stärken und die Sicherung des Erreichten bevor Neues angegangen wurde;
- durch die Fähigkeit, sich permanent in den jeweiligen Gegner hineinzudenken, und dann das zu tun, was von ihm gerade nicht erwartet wurde;
- durch sein ständiges Bemühen, allen Schwierigkeiten die Stirne zu bieten, und neue Lösungen zu suchen;
- durch seine physische, mentale und emotionale Stärke.

Es ist offensichtlich, dass Alexander eine wirksame Führungspersönlichkeit war: Er war visionär und intelligent, besass Tatendrang und persönliche Integrität und war körperlich, mental und emotional stark genug, dauernde Belastungen und Herausforderungen anzunehmen. Er hat die Dardanellen überquert, die Perser niedergerungen und ein neues Weltreich geschaffen. Sein Ziel, bis an die Grenzen der Erde vorzustossen, blieb ihm verwehrt. Trotzdem agierte er Zeit seines Lebens, schuf und ermöglichte Neues, das seinen Tod überdauerte, und ging Risiken ein, die immer wieder sein eigenes Leben bedrohten.

Effektive Führungskräfte sind Persönlichkeiten, die in der Gegenwart leben, Visionen für die Zukunft entwickeln und den Führungsanspruch wahrnehmen, diese Ziele in die Tat umzusetzen.

Ohne Visionen kein Aufbruch, ohne Wille und Hartnäckigkeit keine Realisierung.

Wirksame Führungskräfte sind Menschen, welche mit ihren Visionen dank ihrem Kommunikationsgeschick bei anderen Anklang finden und diese Visionen dank ihrer Energie in einer Organisation umsetzen können. Sie sind zukunftsorientiert, das heisst neugierig, forschend, risikofreudig, ständig lernend, und besitzen den unbändigen Willen und die Kraft zur gestaltenden Änderung ihres Umfelds. Es genügt nicht, Bewährtes fortzusetzen und Gelungenes fortzuschreiben, weil sich unser Umfeld ständig ändert, wegen des permanenten und raschen Wandels in fast allen Bereichen unseres Lebens, der Globalisierung der Märkte, der Zunahme der Bedeutung von multi-, supra- und transnationalen Unternehmungen.

Alexander hätte das Erbe seines Vaters verwalten oder mässig ausbauen und daneben ein beschauliches Leben führen können. Er begnügte sich nicht damit, entwarf kühne Visionen und Strategien und setzte diese in die Tat um. Als Energiebündel, Visionär, Stratege und Zukunftsgestalter inspiriert er uns heute noch.

Leadership à la Alexander bedarf heute jedoch keines neuen Feldzuges kreuz und quer durch die Welt mehr; leadership meint vor allem Neuorientierung und Veränderung. Es bedeutet, sich den Herausforderungen des 21. Jahrhunderts zu stellen, und unter Umständen bewährte und damit liebgewordene oder zu Mythen gewachsene Vorstellungen und Prinzipien, die zu mentalen Mauern und Grenzen geworden sind, zu überwinden.

«Und ihr selber müsst scharf auf die Befehle hören, damit die Befehle auch von euch an die Abteilungen scharf und klar weitergegeben werden. Und jeder einzelne muss sich bewusst sein, dass, wenn er sich vernachlässigt, das Ganze gefährdet, wenn er sich aufs äusserste anstrengt, auch das Ganze gefördert wird.»[133]

In der Schlacht führte Alexander nicht nur durch sein leuchtendes Beispiel, sondern auch durch klare Anweisungen, wie das soeben zitierte Beispiel vor der Schlacht bei Gaugamela belegt. Sofern nötig, erwartete er auch selbständiges Handeln, so als er die Führer des zweiten Treffens beauftragte, die Perser dann aufzufangen, wenn sie sähen, dass ihre Kameraden vom ersten Treffen von dem persischen Heer umzingelt wären. Für diesen Fall wies er sie an, entweder die Phalanx auseinanderzuziehen oder dicht zusammenzuschliessen.[134] Führung von vorne bedingt, dass Unterführer vor der Schlacht über die Absichten ihres obersten Kriegsherrn unterrichtet werden müssen.

Alexander erteilte weitgefasste Aufträge mit grossem Ermessensspielraum an Antipater, der in Makedonien und Griechenland für Ruhe und Ordnung sorgen und ihm damit den Rücken für seinen Zug durch Asien freimachen sollte, und an die von ihm eingesetzten Statthalter in den eroberten oder sich freiwillig unterwerfenden Gebieten. Es blieb Alexander auch nichts anderes übrig, da er über hunderte und tausende von Kilometern entfernt seinen Zug immer weiter Richtung Osten fortsetzte. Während

Antipater seine Aufgabe trotz internen Intrigen, ausgehend meist von Olympias, Alexanders Mutter, und trotz Aufständen in Griechenland mit Bravour erfüllte, missbrauchten andere Statthalter ihre Macht.

Dort, wo Alexander war, befahl und selber aktiv mitkämpfte, lief alles rund. Bewährte Unterführer wie Antipater, Parmenion, Koinos, Krateros oder Nearchos, der Flottenchef, waren bei der selbständigen Durchführung bedeutender Aufträge erfolgreich. Sehr viel hing aber von Alexander ab.[135] So sollen sich während des Kampfes gegen Spitamenes Andromachos, Karanos und Menedomos geweigert haben, in kritischer Lage selbständig zu handeln, um angeblich nicht den Anschein zu erwecken, gegen die Befehle Alexanders auf eigene Faust gehandelt zu haben. Gemäss Arrian hätten sich die drei gescheut, einen Fehler zu machen und dadurch nicht nur sich persönlich, sondern vor allem das ganze Heer durch falsche Befehle ins Verderben zu stürzen. Diese Untätigkeit nutzte der Gegner aus und überfiel die Makedonier. Von den ca. 860 Reitern und 1500 Mann Fussvolk überlebten nur ca. 40 Reiter und 300 Mann Fussvolk.[136]

Bereits in der Antike wurde über Menschenführung, die psychologische Seite der Führung, gesprochen und geschrieben. Über die eher technische Seite der Führung, die Führungstechnik, gilt dies nicht im gleichen Umfang.[137] So wird sich Alexander wohl kaum den Kopf zerbrochen haben über der Frage, ob eine seiner Anordnungen der Befehls- oder der Auftragstaktik zuzuordnen sei. Wo Alexander selber anwesend war und Einfluss nehmen wollte, wurde grundsätzlich «top down» geführt. Andernfalls beliess er seinen Generälen grossen Spielraum in der Erfüllung ihrer Aufträge. Persönlichkeiten wie Antipater oder Nearchos enttäuschten das in sie gesetzte Vertrauen nicht.

Wir sind überzeugt, dass die Führung mit Aufträgen in unserer Zeit die beste Führungstechnik ist, was im Folgenden näher begründet wird.

Vergleich verschiedener Führungsstile

Der partizipativ-situative Führungsstil, wo statt mit detaillierten Anordnungen eher mit Zielen, die einen Handlungsspielraum belassen, geführt wird, entspricht dem heute allgemein bevorzugten Führungsstil. Oberflächlich betrachtet, besteht Übereinstimmung mit dem Führen durch Zielsetzung oder Zielvereinbarung, dem Management by Objectives (MbO). Dieses Führungsverfahren ist aber ein Management-Modell, das auf einem formellen und systematischen Verfahren aufbaut. Wesentliche Merkmale des MbO sind in Zahlen messbare, quantifizierbare Ziele, die in einem bestimmten Zeitraum zu erfüllen sind, die Mitwirkung der Mitarbeiter aller Ebenen am Zielsetzungsprozess und regelmässige, zwischen Management und Mitarbeitern zu erarbeitende Zwischenbilanzen auf dem Weg zur Zielerreichung. Demgegenüber ist Führung mit Aufträgen allgemeiner und beschränkt sich nicht auf quantifizierbare Ziele. Sie ist tätigkeitsbezogen und kann auf das partizipative Element bei der Zielsetzung und der formellen regelmässigen Überprüfung der Zielerreichung auch verzichten. Führung mit Aufträgen umschreibt eher eine Haltung und ist damit eher der psychologisch-emotionalen Führungstätigkeit bzw. dem Leadership zuzuordnen, während das MbO ein intellektuell-systematisches Managementverfahren darstellt.[138]

Auftrag, Absicht und Aufgabe

Unter Auftrag (englisch und französisch *mission*) verstehen wir eine allgemein umschriebene Tätigkeit, die eine Zielsetzung enthält, die Wahl des Weges bzw. der Wege zur Zielerreichung aber weitgehend dem Beauftragten überlässt. Das entscheidende Element des Auftrages ist die Umschreibung der Absicht (englisch *intent/intention* und französisch *intention*), die mit dem Auftrag erfüllt werden soll.[140] Neben der Umschreibung eines in der Zukunft liegenden Ziels (englisch *target/objective*, französisch *but/objectif*) oder von Ergebnissen beinhaltet die Absicht auch die allgemeine Richtung, die «Flugbahn» auf das Ziel hin, ohne Einzelheiten festzulegen.[140]

Die Absicht enthält den Entschluss, wie der Nächsthöhere ein Ziel erreichen will. Die Absicht widerspiegelt in einem gewissen Sinn den Gesamtzusammenhang, weil in ihr zum Ausdruck kommt, wie mehrere Akteure mit verschiedenen Aufträgen auf ein gemeinsames Ziel ausgerichtet werden. Die Absicht ist das übergeordnete Ganze, die generelle Ausrichtung aller Handelnden. Nicht die wortgetreue Erfüllung eines erteilten Auftrags steht im Vordergrund, sondern das selbständige Handeln im Sinn und Geist der Absicht, vor allem dann, wenn eine unvorhergesehene Lage den ursprünglichen Auftrag völlig oder nur in Teilen in Frage stellt.[141] Eine Absicht kann, wie dies im Militär die Regel ist, für einen bestimmten Auftrag speziell formuliert werden. In Wirtschaft und Politik ist die Absicht auch in der Unternehmensphilosophie, im Leitbild oder in der Strategie formuliert.

Von der Aufgabe (englisch *task* oder französisch *tâche*) unterscheidet sich der Auftrag darin, dass die Aufgabe eine konkrete Tätigkeit, Handlung oder Massnahme umschreibt. Der Auftrag ist umfassender und allgemeiner als die Aufgabe. Der Auftrag kann Bedingungen enthalten oder einzelne Aufgaben umschreiben. In diesem Fall ist jedoch eine unzweideutige, klare Aufgabenumschreibung zu wählen. Eine unklare Aufgabenumschreibung überlässt dem Unterstellten einen unerwünschten Spielraum und führt zu Missverständnissen.

Schriftform und mündliche Auftragserteilung

Die Papierflut, die auf heutige Führungskräfte täglich wie ein Orkan herunterstürzt, führt notgedrungen zum selektiven Gehorsam: Erstens ist es zeitlich kaum mehr möglich, alles und vor allem das Kleingeschriebene zu lesen, und zweitens können Führende nicht mehr alles verarbeiten und umsetzen. Der ehemalige CEO der holländischen SHV Holding, van Vlissingen, hat den Kampf gegen zu viel Papier persönlich aufgenommen: «Alle sassen am Tisch, und ich hielt ein Papier hoch und fragte: ‹Wer braucht das? Bitte, erklären Sie mir, warum›. Wenn die Antwort nicht gut begründet war, ab in den Reisswolf! Heute sind alle Berichte an die Zentrale auf eine Seite pro Unternehmen beschränkt und treffen nur einmal im Monat ein. Das Papier enthält wichtige Zahlen und eine kurze Schilderung des verantwortlichen Unternehmensführers.»[142]

Trotz den soeben geäusserten Bedenken: Für längerfristige, bedeutungsvolle Aufträge sowie für Aufträge, die von den höchsten Ebenen einer Organisation stammen, ist die Schriftform die Regel. Das schriftliche Verfassen eines Auftrags benötigt zwar Zeit, ermöglicht aber eine eingehendere Analyse- und Entscheidphase. Dabei ist besonders auf die Wortwahl zu achten: Negative Tätigkeitsworte sind ebenso zu vermeiden wie solche, die Zustände und keine Handlungen beschreiben.[143] Lee Iacocca wusste um die Disziplin, die benötigt wird, einen Auftrag schriftlich festzuhalten: «…wenn man seine Gedanken zu Papier bringt, dann ist man gezwungen, sich genau auszudrücken. Auf diese Weise ist es schwieriger, sich selbst – oder jemand anderem – etwas vorzumachen.»[144] Abraham Lincoln hatte die Gewohnheit, seine Reden schriftlich abzufassen. Damit verschaffte er sich Zeit, über das Thema nachzudenken und sicherzustellen, dass seine Botschaft genauso ankam, wie er es beabsichtigte.[145] In Armeen ist man sich gewohnt, auf Form und Präzision von Befehlen oder Meldungen zu achten, können Ungenauigkeiten doch Verwirrung stiften oder falsche Aktivitäten auslösen, die Menschenleben kosten. Die Angemessenheit in der Befehlsgebung forderte bereits Generalfeldmarschall Helmuth von Moltke: «Im allgemeinen wird man wohltun, nicht mehr zu befehlen, als durchaus nötig ist, nicht über die Verhältnisse hinaus zu disponieren, die man übersehen kann, denn diese ändern sich im Kriege schnell, … Je höher die Behörde, je kürzer und allgemeiner werden die Befehle sein.»[146] General Ulysses S. Grant schrieb alle Befehle selber. General Meade, einer seiner Generäle, sagte, dass Dokumente von Grant kein zweitesmal gelesen werden mussten und auch keine Zweifel bezüglich ihres Inhalts hinterlassen hätten.[147] General Heusinger, der erste Generalinspekteur der Bundeswehr, berichtete, dass er von Generaloberst Ludwig Beck sechs- bis achtmal hinausgeschickt worden sei, weil Beck mit seinen Befehlsentwürfen zwar nicht inhaltlich doch mit der Form unzufrieden war.[148]

Absicht und Aufträge sollten kurzgefasst sein und sich auf das Wesentliche beschränken. Das Bestimmen von Einzelheiten erzeugt Unselbständigkeit und Missbehagen.[149] In der Kürze liegt die Würze, sagt zutreffend ein altes Sprichwort. Die Kunst besteht gerade darin, das Wesentliche, das heisst die Würze, eines Sachverhalts zu bestimmen und es in knappen Worten zu formulieren. Als Faustregel kann gelten, Absicht und Auftrag so einfach abzufassen, dass ein normal begabter Mensch diese auswendig und dem Sinn nach richtig und vollständig wiedergeben kann.

In der Regel wird ein Gespräch die Auftragserteilung begleiten. Damit wird klar gemacht «mir ist dieser Auftrag wichtig». Gleichzeitig kann sichergestellt werden, dass nicht nur der konkrete Auftrag, sondern vor allem auch die Absicht des Vorgesetzten, der Gesamtrahmen, in dem der erhaltene Auftrag eingebettet ist, richtig verstanden werden. Das Gespräch ermöglicht ausserdem die Vermittlung zusätzlicher Informationen und die Beantwortung von Fragen.

Die mündliche Auftragserteilung hat unbestritten den Vorteil, einander in die Augen schauen und die emotionalen Kräfte ansprechen zu können, was vor allem militärische Führer aus eigener Erfahrung wissen. General Ulrich Wille, Oberbefehlshaber der Schweizer Armee während des Ersten Weltkriegs, umschreibt den Unterschied in der Bedeutung des mündlichen vom schriftlichen Befehl wie folgt: «Nach meiner Ansicht ist der mündliche Befehl das immer zu Erstrebende, obgleich man weiss, dass die Lagen, in denen man schriftlich befehlen muss, immer viel zahlreicher sein werden. Der Unterschied beruht in verschiedener Ansicht über die für Krieg und Schlachtenerfolg entscheidenden Faktoren. Ist die Truppenführung ein Problem, bei dessen Lösung es entscheidend auf die geistigen Kräfte ankommt, dann mag schriftliche Befehlsgebung das allein richtige Verfahren sein, wer aber die persönliche Einwirkung hoch einschätzt, der wird trachten, mündlich zu befehlen, wo es nur irgendwie möglich ist.»[150] General Fred Franks hat mehr als achtzig Jahre später ähnliches gesagt: «The main thing was that I wanted to get my subordinate commanders' sense of what was happening, and then give them my own sense and tell them what I wanted them to do in the next twelve to twenty-four hours. When I was there with them, I could look them in the eye and see if they understood what I wanted. That way, there could be no ambiguity in orders. There is an old saying: If an order can be misunderstood, it will be.»[151]

Bedeutung der Führung mit Aufträgen

Führen mit Aufträgen, militärisch Auftragstaktik genannt, bedeutet das Delegieren von Aufgaben und Kompetenzen auf die tiefstmögliche Stufe, auf diejenige Stufe nämlich, die dem Geschehen am nächsten ist und die in der Regel auch über die zur Auftragserfüllung notwendige Fachkompetenz verfügt. Dies hat erhebliche Vorteile für beide (Führungs-)Ebenen, sowohl für die auftraggebende wie die auftragnehmende Stufe: Die delegierende Führungskraft verschafft sich mehr Freiraum zur Übernahme grösserer Verantwortung, mithin zum Denken, Planen und Formulieren von Zielen für die Zukunft; ihr Blick wird frei für Dinge, die vermutlich unbemerkt blieben, nähme die Führungskraft Aufgaben wahr, welche unterstellte Mitarbeiter ebensogut übernehmen könnten.[152]

Weil nicht die wörtliche Ausführung des erteilten Auftrages, sondern das Handeln gemäss der Absicht im Vordergrund steht, werden Selbständigkeit und Initiative der unterstellten Führungskraft gefördert. Führung mit Aufträgen wirkt motivierend, stärkt Selbstvertrauen, Entschlusskraft, Beweglichkeit und Risikobereitschaft der Mitarbeiter im Hinblick auf die Wahrnehmung von

Chancen und beschleunigt den Entscheidungsprozess.[153] Führen mit Aufträgen bedeutet eigenverantwortliche Initiative, Handeln nicht nach dem Wortlaut, aber nach dem Sinn des erhaltenen Auftrags, allenfalls Abweichen vom Auftrag im Geist der Absicht des Vorgesetzten bei einer sich verändernden oder veränderten Lage. Diese Anpassungsfähigkeit macht dieses Führungsverfahren zu einem normativ-strategischen Vorteil: Es weckt den Unternehmergeist in jedem Mitarbeiter und fördert damit seine Veränderungsbereitschaft und -fähigkeit.[154]

Führung mit Aufträgen ist ferner ein wesentlicher Bestandteil der Mitarbeiterentwicklung. Einige Mitarbeiter bekunden manchmal Mühe, mit der ihnen überbundenen Verantwortung umzugehen. Die Gründe dafür sind vielschichtig: Einige Mitarbeiter haben das selber noch nie so erlebt oder haben bei einer anderen Führungskraft negative Erfahrungen im Umgang mit wahrgenommener Verantwortung gemacht oder trauen sich schlicht zu wenig zu. Führungskräfte müssen sich diesen vorwiegend psychologisch motivierten Hemmschwellen gegen die Führung mit Aufträgen bewusst sein. Es geht darum, sensibel entsprechende Signale eines Mitarbeiters aufzunehmen, Geduld zu zeigen und die Vorteile dieses Führungsstils, vor allem erweiterte Freiräume und grössere persönliche Zufriedenheit, zu kommunizieren. Führungskräfte sollten Mitarbeiter in diesem Sinne coachen, und vor allem durch das eigene Beispiel wirken und damit vorhandene Ängste im Zusammenhang mit dem Übernehmen von Verantwortung abbauen.

Respekt vor der Entscheidungsautonomie

Man könnte Führung mit Aufträgen auch umschreiben mit «Führung durch Loslassen»: «Wenn man wenig Verantwortung abgibt, bekommt man wenig zurück; wenn man viel abgibt, schwingen sich die Mitarbeiter zu Höchstleistungen auf.»[155] Von oben nach unten, in der Vertikalen, sollte grundsätzlich keine Einmischung in die Art und Weise der Auftragserledigung erfolgen, bloss eine Überwachung der Zielerreichung und der Einhaltung der Rahmenbedingungen. Das allzu häufige kontrollierende Eingreifen wirkt demotivierend und schränkt die Handlungsfreiheit des Beauftragten unnötigerweise ein.

Aber auch von rechts nach links, in der Horizontalen, muss gegenseitiger Respekt vor der Entscheidungsautonomie und gegenseitige Akzeptanz der getroffenen Lösungen gelten. Jede Organisationseinheit muss also akzeptieren, dass eine andere die ihr übertragenen Aufgaben anders löst, als sie es selbst getan hätte. Dies ist ein Grundsatz, der öfters im Verhältnis zu zentralen Organisationseinheiten, die Dienstleistungen für andere erbringen, missachtet wird, insbesondere im Verhältnis zu Informatik, Finanzen und Administration.

Manchmal ist allerdings – im Widerspruch zur Führung mit Aufträgen – ein Eingreifen von oben nach unten notwendig: Sei es um wegen zu hoher Passivität einer unteren Führungsebene die Zielerreichung zu beschleunigen oder im Notfall sogar zu erzwingen, sei es um eine Schwerpunktbildung zu bewirken, wenn Ziele und Mittel nicht mehr im Einklang stehen, oder um Zusammenhänge zwischen mehreren Führungsebenen oder Geschäftsbereichen sicherzustellen. Ein (zu) frühes Eingreifen ist allerdings gefährlich, wenn die untere Ebene dynamisch und aktiv tätig ist, weil es demotivierend wirkt und eher den Minimalismus fördert. Das frühe Eingreifen birgt zudem für die obere einflussnehmende Ebene die Gefahr, mit dem stärkeren Engagement auch die Übersicht und damit den zur Wahrung der Übersicht nötigen Abstand zu verlieren. Damit kann die obere Führungsebene ihrer Überwachungs- und Lenkungsaufgabe nicht mehr gerecht werden, und – was noch wichtiger ist – sie vergibt sich die selbständige und unabhängige Entscheidungsmöglichkeit.

Direktes Eingreifen will immer wohlüberlegt sein. Eine Führungskraft sollte nicht impulsiv eingreifen, sich vielmehr die Vor- und Nachteile einer derartigen Intervention gut überlegen, so wie dies offenbar Helmut Maucher als Boss von Nestlé getan hat: Als Maucher in Frankreich ein Werbeplakat von Nestlé sah, das gegen mehrere Regeln der «Nestlé-Werbefibel» und damit gegen das Erscheinungsbild des Unternehmens verstiess, rief er den Landesverantwortlichen an und forderte ihn auf, das «verrückte» Plakat zu verändern.[156]

Führung mit Aufträgen verlangt, dass sich jede Führungsebene klar darüber ist, welche Verantwortlichkeiten zwingend nur von ihr selber und welche ebensogut von den nachgeordneten Ebenen wahrgenommen werden können. Dieser Entscheid ist ein zentraler Führungsakt, der innerhalb der gesamten Organisation kommuniziert werden muss. Wenn die oberste Führungsebene zum Beispiel die normativ-strategische Ausrichtung des Unternehmens, dessen Marke, die Informations- und Kommunikationspolitik und die oberste Personalpolitik zu ihren Haupttätigkeiten erklärt, so ist das eine klare Absichtserklärung sowohl bezüglich ihres Führungsverständnisses, als auch hinsichtlich den delegierbaren Verantwortungsbereichen. Die obersten Führungskräfte werden sich an ihre eigene Absichtserklärung halten müssen und damit für ihre nachgeordneten Chefs jene Freiräume und jenes positive Klima schaffen, welche zur Bewältigung der Zukunft unabdingbar sind.

«Seine Fähigkeit, in ungeklärten Lagen das Gebotene zu erkennen und aus Beobachtungen auf das Bevorstehende zu schliessen, war unübertrefflich.» [157]

Alexander war ohne Zweifel ein grosser Stratege. John Keegan nennt ihn «an incisive strategist», und andere, darunter John F. C. Fuller und Peter Bamm, bezeichnen ihn als strategisches Genie. [158]

Seine Grösse beruht wesentlich auf der Fähigkeit, strategisch, nämlich zukunftsorientiert, vorausschauend zu denken, Grenzen des Denkens sprengende Visionen zu entwickeln und danach zu handeln. Dass sein Reich nach seinem Tode aufgeteilt wurde, stellt seine strategischen Fähigkeiten nicht in Frage, weil er die damalige Welt nachhaltig verändert und den Gang der Geschichte entscheidend geprägt hat. Er hat die zwischen Osten und Westen bestehenden Grenzen aufgebrochen und dauerhaft engere wirtschaftliche und kulturelle Verbindungen geknüpft. [159]

Aus strategischer Sicht stellte sich nach der Schlacht am Granikos für Alexander die Frage, ob die mächtige persische Flotte auf See vernichtet oder durch sukzessive Einnahme aller ihrer Landbasen aus den Angeln gehoben werden sollte. Entgegen den naheliegenden Ratschlägen seines Generals Parmenion entschied sich Alexander für die zweite Lösung, obwohl die erste den unmittelbaren, konkret abschätzbaren und taktischen Vorteil der raschen Lösung, allerdings mit dem nicht geringen Risiko einer Niederlage bedeutet hätte. Alexander hatte aber weitreichendere, zukunftsgerichtete, strategische Pläne und zog es deshalb vor, vom Land her in einer aufwendigen Kampagne jede Marinebasis einzeln einzunehmen. Diese Lösung war zwar kaum weniger risikoreich – vermutlich aber auch nicht riskanter – und musste den Beratern und Generälen Alexanders als die Grenzen der Vernunft sprengende unrealistische Variante erschienen sein. Damit konnte er aber gleichzeitig zwei Ziele anstreben: das taktische Ziel, den Sieg über die persische Flotte, und das strategische Ziel, dauerhafte Beherrschung des östlichen Mittelmeers.[160]

Die Strategie ist heute keine rein militärische Spezialität mehr, sondern ein interdisziplinäres intellektuelles Konzept geworden, welches das menschliche Handeln und Verhalten im allgemeinen erfasst.[161] Obwohl der Begriff durch den allzu häufigen Gebrauch seines Sinnes entleert wurde, wollen wir versuchen zu verstehen, was damit gemeint sein könnte.

Begriffsbestimmungen

Vorerst sind die Begriffe zu klären, welche für die Bezeichnung der drei klassischen Führungsstufen verwendet werden. Militärisch spricht man von der strategischen als der obersten, von der operativen als der mittleren und von der taktischen als der untersten (vollziehenden) Führungsstufe.[162]

In der Betriebswirtschaft verwendet man den Begriff Taktik kaum. Es ist üblich geworden, die Führungsstufen von oben nach unten mit normativer, strategischer und operativer Stufe zu bezeichnen.

Die obere Ebene, die normative Führung, legt die Unternehmungspolitik (Leitbild, englisch *mission statement*) fest und besteht in der Unternehmungsentwicklung, im Erarbeiten und Setzen der übergeordneten Verhaltensnormen. Die normative Führung formuliert generell-abstrakte Ziele und Werte, die von allgemeinem, allgemeingültigem und bestimmendem Regel- und Grundsatzcharakter sind und die unabhängig von der tatsächlichen und konkreten Entwicklung gleichbleibende Merkmale aufweisen. Die normative Führung ist vorausschauend, entwickelt ein allgemeines Konzept für die Zukunft, eine Idee, Vision oder Norm; sie ist eine rationale, gedankliche Zurechtlegung zukünftiger Erwartungen und Wünsche, sie legt die allgemeine Entwicklungsrichtung fest und zielt darauf ab, die langfristige (Über-)Lebensfähigkeit der Organisation sicherzustellen. Normative Führung bedeutet «Direction Giving»,[163] Bestimmen des Zieles, und Lenken von Menschen durch Inspiration, Kommunikation und Motivation in die angepeilte Richtung.

Die strategische Führungsebene (militärisch die operative Ebene) setzt die längerfristigen Unternehmungsziele fest. Sie beinhaltet somit – bereits etwas konkreter – Unternehmungsgestaltung, Entwerfen und Schaffen von Organisation als zweckgerichtete und handlungsfähige Ganzheit. Ausbau und Aufbau von sogenannten strategischen Erfolgspositionen bleibt aber auf die Gesamtplanung für das Unternehmen ausgerichtet.

Die operative Führung (militärisch die taktische Ebene) erarbeitet die detaillierten, konkreten kurz- und mittelfristigen Pläne, die Jahrespläne, um die von der höheren Stufe gesetzten strategischen Vorgaben und (Teil-)Ziele zu vollziehen und in konkrete Handlungen umzusetzen. Operative Führung bedeutet Unternehmungslenkung, Auslösung und Kontrolle zielgerichteter, konkreter Aktivitäten; sie ist konkret-individuell, bezieht sich auf einen Einzelfall; sie äussert sich in konkreten Zahlen, in Ertrag und Aufwand, in Budgets und Rechnungsablage.

Diese Gliederung vernachlässigt die Tatsache, dass normatives Denken auf allen Ebenen, aber je nach Ebene mit unterschiedlicher Intensität,[164] verlangt ist. Generell muss sich jede Ebene mit der Aufgabenerfüllung der anderen Ebenen auseinandersetzen. So muss beispielsweise auf der obersten Ebene Klarheit herrschen über die Erfüllung der Lenkungsaufgaben der untersten Ebene – und namentlich über die Probleme, welche die Erfüllung zeitigt –, und umgekehrt muss auf der untersten Ebene Klarheit über die verfolgte Politik der obersten Führungsebene herrschen. In einem

Konzern sind normative und strategische Fragen auf verschiedenen Ebenen zu lösen: Jede Konzerngesellschaft oder jeder Konzernbereich hat seine eigenen normativen und strategischen Führungsaufgaben wahrzunehmen, wobei die Strategie des Konzerns einen Teil der Rahmenbedingungen bildet.[165]

Wenn wir im folgenden von Strategie, strategischer Führung oder strategischem Denken sprechen, so meinen wir die oberste, normative Ebene. Dies entgegen der Umgangssprache und der Spieltheorie, die das Wort Strategie eher im Sinne der Planung von Spielzügen, also von Operationen oder taktischen Massnahmen verwenden.[166]

Zudem bezieht sich Strategie nicht nur auf die wichtigen Dinge und Taktik nur auf Details. Auch scheinbare Details können von strategischer Bedeutung sein.[167] Strategien sind abstrakte Konzepte, die auf einer ständigen Veränderung der Bedingungen oder auf der subjektiven Wahrnehmung dieser Veränderungen beruhen.[168] Strategisches Denken ist mit andern Worten zukunftsorientiertes Denken, um die Entwicklungs-, Anpassungs- und Überlebensfähigkeit der Organisation zu sichern. Es vermag die Unsicherheit der Zukunft nicht zu reduzieren, dient aber der Vorbereitung auf künftige Herausforderungen.

Die Strategie als Führungsaufgabe setzt soziale Hierarchie, vertikale Teilung der Kompetenzen und Mitbewerber voraus. Ferner richtet sie das Handeln auf die Realisation von Wünschen und auf einen Gewinn in einem von Mitspielern umkämpften Raum,[169] wobei grundsätzlich Wettbewerb oder Zusammenarbeit als Alternativen zur Wahl stehen.[170]

Die philosophische Grundlage strategischen Denkens liegt sowohl in der Anerkennung der menschlichen Handlungsfreiheit als auch in der Fähigkeit zur rationalen Vorstellung der Wirklichkeit, welche ein nicht vom Zufall bestimmtes, freies Handeln und aktive Gestaltung des Umfeldes ermöglichen.[171]

Denken ist der Kampf gegen die Ungewissheit.[172] Der Klärung vergangener Sachverhalte dient das rekonstruktive Denken, der Klärung zukünftiger Verhältnisse das prognostische Denken, das in ein schöpferisches, konstruktives oder produktives Denken übergehen kann.[173]

Das strategische Denken ist auch normativ, indem es ein erstrebenswertes Ziel, eine Norm bestimmt. Ausserdem neigt es zur logischen, schlussfolgernden Denkweise, die den Weg zur Norm festlegt. Da Ziel und Weg jedoch in der per se unsicheren Zukunft liegen, muss versucht werden, die sich bietenden Möglichkeiten auf eine Anzahl Wahrscheinlichkeiten zu beschränken, um auf diese Weise mehr Gewissheit über die Entwicklungen der Zukunft und die Erreichbarkeit des Ziels zu erlangen.[174]

Dabei bietet sich zum ersten das hypothetisch-deduktive Verfahren an. Aus der gesamten überblickbaren historischen Wirklichkeit wird eine Hypothese oder eine Annahme analysiert und in ihre wesentlichen Elemente zerlegt. Ihr wird unterstellt, dass sie ihre Gültigkeit über einen längeren Zeitraum, also über die historischen Bedingungen hinaus, aus denen sie abgeleitet worden ist, behält. Diese Denkweise kann ergänzt werden durch ein logisch-kombinatorisches Verfahren, welches die einzelnen Elemente des Modells variiert und neu kombiniert.[175] In einem analytischen Denkprozess, der neue Ereignisse und Entwicklungen auf ihre wesentlichen Bestandteile untersucht, werden die Hypothesen laufend überprüft und allenfalls angepasst.

Deduktive Schlussfolgerungen liefern einerseits sichere und zuverlässige Ergebnisse, bringen aber anderseits keine neuen Erkenntnisse hervor. Dazu verhilft eher das induktive Schliessen, das hypothetisch-induktive Denkverfahren.[176] Aufgrund der Analyse eines (Teil-)Elementes der historischen Wirklichkeit wird eine Annahme für die Zukunft getroffen, von einem bestimmten Einzelfall also auf zukünftige Fälle, vom Besonderen auf das Allgemeine geschlossen. Es wird aufgrund der Beobachtung einer historischen Tatsache eine Wahrscheinlichkeitsaussage über die Zukunft gemacht. Die Schwierigkeit ist, dass die Wahrscheinlichkeit eines Ereignisses nicht dessen absolute, sondern dessen relative Häufigkeit bedeutet: So ist beispielsweise von zwei Sportlern nicht unbedingt derjenige der stärkere, der mehr Siege aufzuweisen hat, sondern derjenige, der im Verhältnis zur Gesamtzahl von Wettkämpfen, an denen er teilgenommen hat, mehr Siege aufzuweisen hat.[177] Problematisch an induktiven Schlüssen ist ihre fragliche Gültigkeit und Unsicherheit; denn sie verlieren bei nur einem Gegenbeispiel den Anspruch auf Allgemeingültigkeit.[178] Ferner dürfen (induktive) Wahrscheinlichkeitsschlüsse nicht mit Ähnlichkeitsaussagen oder Analogieschlüssen verwechselt werden.[179] Der Analogieschluss, die Bildung einer einem historischen Sachverhalt ähnlichen oder entsprechenden Hypothese ist oft voreilig.[180]

Diese schlussfolgernden Denkverfahren eignen sich zur Beurteilung eines absehbaren und kalkulierbaren Zeitraumes, weil sie nämlich auf der Analyse verfügbarer realer Sachverhalte beruhen. Um über diesen Zeitraum hinaus, ins absolut Neue und Unbekannte zu denken, sind statt analysierendes Denken und hieraus abgeleiteter Hypothesen eher Kreativität und Phantasie, die sich von der real existierenden Wirklichkeit abheben, erforderlich. Hier betreten wir den Bereich des synthetischen Denkens, der künstlichen Wirklichkeit, die wir durch die Extrapolation von Trends, Computersimulation, das Denken von Szenarien oder die Durchführung von Experimenten erschliessen.

Die Intuition spielt im strategischen Denken stets eine mehr oder weniger starke Rolle. Sie vermischt sich mit dem schlussfolgernden Denken zur «Imagination», zum Vorstellungsvermögen.[181] Intuition meint dabei eine aus Erfahrung, Studium kritischer Faktoren und Reflexion gewonnene Erkenntnis, ist also nicht zu verwechseln mit reiner Phantasie oder mit Erraten.

Strategisches Denken als Prozess

Strategisches Denken bedingt Wissen über die Vergangenheit und Gegenwart und Sehen über diese Zeiträume hinaus.[182] Strategisches Denken ist ein Prozess, der Erfahrungen aus der Vergangenheit, Informationen aus der Gegenwart und Erwartungen über die voraussehbare Zukunft vereinigt,[183] und nie aufhört; denn was heute ist, wird im nächsten Zeitpunkt zur Vergangenheit, was morgen sein wird, ist bald Gegenwart.

Die rationalistische Denkschule erhebt den Anspruch, die optimale Strategie und damit das Schicksal der Organisation planen und bestimmen zu können. Die evolutionistische behauptet demgegenüber, dies sei unmöglich und die Strategie einer Unternehmung sei in Wahrheit nur das Erkennen und Interpretieren eines in der Vergangenheit liegenden Verhaltensmusters. Die prozessualistische Denkschule bildet den Mittelweg, weil sie die Strategie als Prozess versteht, der aus einem rationalen Denkprozess und aus in der Vergangenheit der Organisation gewonnenen Erkenntnissen und Erfahrungen besteht; sie schliesst daraus, dass in Organisationen Prozesse eingeleitet werden können, welche sie flexibel, anpassungsfähig und lernfähig werden lassen. Strategie ist demzufolge ein kontinuierlicher Lernprozess.[184]

Nachdenken

Nachdenken ist der Blick in die historische Dimension. Es weckt das Verständnis für die Hintergründe der Gegenwart und die unmittelbar bevorstehende Zukunft.[185] Strategisches Denken blickt mittels Hypothesen und Synthesen in die Zukunft, die zumindest teilweise aus der Analyse der Vergangenheit, dem Nachdenken, abgeleitet sind.

Nachdenken ist im wesentlichen ein deduzierender und ein analytischer Denkprozess, der (historische) Informationen zerlegt. Analytisches Denken ist nützlich im Rahmen des strategischen

Denkens, indem es insbesondere hilft, durch Erfahrungen, voreilige Annahmen, Traditionen, Lehren oder Schematismen eingeengte Blickwinkel zu öffnen.[186] Es schliesst aber das Denken in Alternativen aus und neigt zu voreiligen Schlüssen, weil es keine offenen Fragen erträgt[187] und die Analyse das konkrete Ereignis häufig verallgemeinert, ohne es zu abstrahieren. Dies ist aber ein einschneidender Mangel, denn jedes Ereignis muss einerseits in allgemeine und allgemeingültige Merkmale, anderseits in wesentliche, regelhafte, von der zufälligen Gegenständlichkeit und Wirklichkeit herausgesonderte, bestimmende und unabhängig von der tatsächlichen Entwicklung gleichbleibende Merkmale zerlegt werden. Es reicht nicht aus, Merkmale, die wohl typisch, augenfällig oder herausragend sind, zu erkennen, vielmehr muss der wesentliche Kern der zu analysierenden Wirklichkeit getroffen werden. Die Fähigkeit zum Fliegen beschreibt den Vogel nur ungenügend; zwar ist sie typisch, lässt aber beispielsweise den Pinguin ausser Betracht. Der hier besprochene Denkvorgang der Abstraktion ist derselbe Vorgang, der in der Psychologie als Begriffsbildung beschrieben wird.[188]

Die folgenden Beispiele zeigen, dass rein analytisches Nachdenken zu voreiligen strategischen Schlüssen verführen kann. Der deutsche Generalstabschef des ausgehenden 19. Jahrhunderts, Graf Alfred von Schlieffen, hat in einer Studie, die den Titel «Cannae» trägt, die sogenannte Vernichtungsschlacht, nämlich das Umfassen und Vernichten des Gegners, als die vollkommene Form militärischen Erfolges bezeichnet. Die Vernichtungsschlacht wurde zum eigentlichen Dogma verallgemeinert und legte auch den Grundstein zur politischen Strategie, die Deutschland in den Ersten Weltkrieg führte. Hier wurde versucht, mit Hilfe eines riesigen «Cannae» die französischen Armeen einzuschliessen und zu vernichten: Dieser Zielsetzung hatte sich die Politik unterzuordnen, womit die deutsche Politik zwangsläufig zum Krieg – wie vom Generalstab geplant – führen musste. Der aus der Schublade geholte Plan Schlieffens scheiterte jedoch schliesslich auf militärischem Gebiet, im wesentlichen weil er zu spezifische Lehren aus früheren «Cannaes» zog und den gegebenen, konkreten Verhältnissen kaum mehr gerecht wurde. Er bedeutete auch eine Überschätzung der Umfassungsbewegung, die eine rein operative oder sogar taktische Massnahme darstellte und keine strategische Qualität hatte, also keine langfristige Zielsetzung für Deutschlands Zukunft ersetzen konnte. Bereits Hannibal – als Sieger der klassischen Umfassungsschlachten der Trasimenischen Seen (217 v. Chr.) und von Cannae (216 v. Chr.) gepriesen – verlor schliesslich den Kampf gegen die Römer, die strategisch stärker waren als Karthago. Dies hätten Schlieffen und seine Nachfolger erkennen müssen, wären sie von ihrer Idee nicht dermassen gefesselt und geblendet gewesen.

Nach dem Ersten Weltkrieg ereilte die Franzosen dasselbe Schicksal. Aufgrund ihrer Analyse und Erfahrung aus dem Ersten Weltkrieg glaubten sie, die Zukunft gehöre der Feuerkraft und dem methodisch geführten Stellungskampf. Ein Blick auf die Kriegsschauplätze im Osten Europas hätte ihnen aber vor Augen führen müssen, dass dies allzu spezifische Lehren waren. Die vernichtende Niederlage im Westfeldzug des Frühlings 1940 war die Folge.

Die Polen- und Westfeldzüge als glänzende operative Erfolge verleiteten Deutschland wiederum zu übereilten, allzu spezifischen und verallgemeinernden Schlussfolgerungen, die in der Operation Barbarossa und dem Überfall auf die Sowjetunion (1941) gipfelten und in der Wiederholung des Westfeldzuges, der Ardennenschlacht (Winter 1944/45), endgültig Schiffbruch erlitten. Die deutsche Führung glaubte, einen strategisch überlegenen Gegner durch operative Überlegenheit schlagen zu können. Auch Napoleon versuchte, strategische Herausforderungen mit «battlefield virtuosity» zu lösen: die Folge war eine Welt von Feinden.[189]

Es besteht eine Interdependenz von normativer oder strategischer und operativer oder taktischer Führung. Das Wesentliche ist die Strategie, dem sich die operative Führung unterzuordnen hat, nicht umgekehrt. Mangelhafte Strategie kann nicht durch eine geschickte operative Führung ersetzt werden.[190] Eine erfolgreiche Strategie setzt aber Erfolge auf operativer Ebene voraus. Alexander hat diese Hierarchie beachtet und die operativen Ziele den strategisch-politischen Zielen untergeordnet.[191] Wesentliche Erkenntnis für uns ist, dass zur Strategiefindung das analytische Nachdenken allein nicht ausreicht. Das Nachdenken ist zwar Bestandteil des strategischen Denkprozesses; es muss aber beherrscht sein von einem zukunftsgerichteten Vordenken.

Vordenken

Vordenken ist die wesentliche Ergänzung zum Nachdenken im strategischen Denkprozess. Vordenken beginnt im wesentlichen mit der Formulierung von Hypothesen, gefolgt von der Bildung von Synthesen. Intuition spielt eine grosse Rolle, weil objektive Gewissheit nicht erzielt werden kann,[192] und gleichwohl eine Verengung des Fokus auf ein Ziel notwendig ist.[193]

Vordenken ist schöpferisches Denken, Entwerfen von Strategien oder – anders gesagt – von Zukunftsvorstellungen, die durch das Erkennen von Tendenzen, die Kombination von bekannten und erkennbaren Informationen aller Art, durch das Vorstellungsvermögen entstehen.[194] Vordenken ist divergierendes Denken, das unterschiedliche Teile eines Problems auswertet und zu einer Synthese, zu einem neuen Ganzen, zusammenfügt.[195]

Vordenken ist notwendigerweise auch wertend. Erst die zu erstrebenden Werte und Normen verleihen der Vision Zielcharakter. Strategisches Denken bedeutet, eine kohärente Vorstellung der Zukunft im sachlichen wie im normativen Sinne zu entwickeln und ein die Organisation überspannendes Ziel ins Auge zu fassen.[196] Die Wertung besteht aber nicht nur darin, eine zu erstrebende Norm, ein Ziel zu setzen, sondern auch auf dem Wege dahin die wertenden Entscheidungen zu treffen. Vordenken umfasst also nicht nur das Vorausdenken und -schauen, sondern auch die permanente Auswahl von erkannten oder erkennbaren neuen Möglichkeiten, in Berücksichtigung von Vorlieben und Wünschen sowie Aversionen, Zielsetzungen und Absichtsformulierungen.

Und die strategische Vision hängt von der Fähigkeit zu Sehen und zu Fühlen ab.[197] Sie hat also ebenfalls eine emotionale Komponente, ist emotionales Denken, aber kontrolliert emotionales Denken.

Ohne diese Wertungen wird das Denken zwangsläufig im analytischen, im gefühllosen und trocken-sachlichen enden, das auf den verschiedenen möglichen Wegen der Zukunft in erster Linie die Probleme und Schwierigkeiten sieht und nach Begründungen sucht, wieso diese nicht beschritten werden können. Die Folge ist Erstarrung, Verharren auf dem Status Quo bei blossem Reagieren auf äussere Einflüsse. Als Beispiel möge die Zielsetzung der Europäischen Währungsunion dienen. Ohne die normativ-strategische Entscheidung, eine gemeinsame Währung zur Festigung der Einheit Westeuropas in dauerhaftem Frieden, wäre diese Vision kaum über die Anfangsphase einer Diskussion hinausgekommen.

Vordenken ist dynamisches, ständiges Suchen nach Neuem, ist Neugierde. Die Suche ist wichtiger als die Antwort.[198] Die Antwort ist inhärent statisch. Das Lernen dagegen ist ein dynamischer Denkprozess. Beim Lernen geht es darum, die Dynamik des Zeitablaufs, welche die Kategorien Vergangenheit, Gegenwart und Zukunft laufend aufhebt und damit Unsicherheit schafft, zu beherrschen.

Lernen allein genügt jedoch nicht, da es nur bereits vorhandenes Wissen verarbeitet. Innovation und synthetisches, schöpferisches Denken, das neue und originelle Perspektiven eröffnet, erschliesst erst die Zukunft.[199] Alexanders Improvisationsfähigkeit war erstaunlich. Er liess sich nie entmutigen und versuchte hartnäckig so lange, bis der «Knoten» gelöst oder durchhauen war: So gesehen, ist die Geschichte mit dem Gordischen Knoten nicht weniger als ein Symbol für die aussergewöhnliche, weil aus dem gewöhnlichen Denkschema ausbrechende und Grenzen des Denkens missachtende Problemlösungsfähigkeit Alexanders.

Strategisches Denken kann sich auch nicht in einem formalen Plan, der zwangsläufig statisch ist, erschöpfen. Strategische Pläne werden der Wirklichkeit, die ständig in Bewegung ist, nicht gerecht. Strategisches Denken ist permanentes Denken, laufende

Neubeurteilung der Lage, konstante Anpassung an wechselnde Verhältnisse in einer Welt, in der Unsicherheit und Zweideutigkeit herrschen.[200] Strategie ist nicht Planung, sondern das Zusammenfügen von Erkenntnissen über die allgemeine einzuschlagende Richtung, was in einem kontinuierlichen Überlegungsprozess geschieht.[201] Strategische Planung ist zwar notwendig, aber nicht genügend und folgt bloss auf das strategische Denken.[202]

Strategisches Denken befasst sich mit komplexen Problemen, nämlich der Zukunftssicherung und -gestaltung. Komplexe Probleme weisen eine Vielfalt zu berücksichtigender und miteinander in nicht immer eindeutiger Beziehung stehenden Variablen und Teil- / Zielen auf und unterliegen zeitlichen Veränderungen, wobei laufend neue Variablen auftauchen können.[203]

In der Problemlösung haben sich Personen als überlegen gezeigt, die strategisch trainiert waren. Strategisch trainiert sind diejenigen, die allgemein anwendbare Lösungsregeln gelernt haben und nicht einzelne, aufeinanderfolgende Lösungsschritte, die mehr um Vorausschau bemüht waren und hartnäckiger nach neuen Möglichkeiten suchten.[204]

Kritische Distanz und Reflexion

Strategisches Denken bedeutet auch kritische Distanz, Reflexion, ständige Rückkoppelung und Spiegelung der verarbeiteten Informationen, um die Kontrolle über sich selbst, seine eigenen Ziele und Visionen zu behalten und nicht zum Instrument anderer zu verkommen. Fachidiotie, «professional narrowness», setzen sich durch, wenn nicht die Fähigkeit zur Reflexion, zur kritischen Distanz vorhanden ist.[205] Erst kritische Distanz ermöglicht, den Überblick, «the big picture», im Auge zu behalten, seine Konstanten und seine Veränderungen, die verschiedensten Perspektiven und Szenarien zu betrachten und das Blickfeld im Hinblick auf das Erkennen der wichtigen Fragen und Tendenzen frei zu halten.[206] Die Qualität der Entscheidung hängt nicht von der Verfügbarkeit der Informationen sondern von der Fragestellung ab.

Ferner sind Verständnis und Beurteilungsvermögen, «Judgement», erforderlich,[207] um die quantitativ und qualitativ komplexen Informationen zu verarbeiten und das Essentielle vom Irrelevanten unterscheiden zu können. Es genügt nicht, über objektive Informationen zu verfügen. Oft sind Informationen zu beschränkt oder zu unzuverlässig, weil sie eine Genauigkeit und Unzweideutigkeit vortäuschen, die nicht vorhanden ist.[208]

Strategisches Denken bedingt einen hohen Grad an geistiger Unabhängigkeit und erträgt kein dogmatisches und von vorgefassten Meinungen und Mythen beherrschtes Denken. Wir verhalten uns oft aufgrund der Wahrheit, nicht wie sie ist, sondern wie wir sie sehen wollen.[209] Um die Konkurrenten zu verstehen, muss man ihre Handlungen nicht durch die eigene Optik, sondern durch die ihre interpretieren können.[210] Einstellungen, Abwehrgefühle und emotionale Hemmungen, Konventionen, Wertvorstellungen, Erfahrungen, Gewohnheiten (Routine), Überzeugungen, Schematismen oder auch tiefer Selbstwert schränken demgegenüber das Gesichtsfeld ein und setzen die Qualität des strategischen Denkens herab.[211]

Umsetzung des strategischen Denkens

Strategisches Denken ist jedoch nicht nur kritische Distanz, Überblick oder weites Vorausschauen, sondern ebensosehr Betrachtung von unten und Erblicken von sich unmittelbar und sukzessiv stellenden Anforderungen. Es muss unterstützt werden durch die Sicht auf kürzere Frist, von der Kenntnis der kurz- bis langfristigen Perspektive.[212] Strategen wie Alexander der Grosse ziehen sich nicht von der täglichen Arbeit, der Routine, zurück. Im Gegenteil, sie stehen im Zentrum des Handelns, helfen schrittweise die sich auf dem strategischen Wege stellenden Probleme lösen, verfügen aber über Abstraktionsfähigkeit, um die strategischen Botschaften daraus ableiten zu können.[213]

«Action and thought must interact».[214] Das Denken muss dem Handeln vorgehen (Vordenken) und auch nachfolgen (Nachdenken). Strategisches Denken muss aber in Handlungen umgesetzt werden;[215] erst damit ist der Führungsauftrag erfüllt.[216] Strategen müssen also die Unsicherheiten der Entscheidung begrüssen, Entschlusskraft trotz Ungewissheit beweisen, und die Gefahren des Handelns akzeptieren,[217] was Alexander besonders auszeichnete.

Alexanders Strategie war eine offensive und nicht eine defensive.[218] Er suchte stets die Initiative in Händen zu halten. Die Offensive bedeutet Initiative und aktives Handeln, schafft Veränderung, erschliesst neue Räume und strebt vorwärts, während die Defensive zur Passivität und Reaktion neigt, bewahrend ist. Aus der Offensive entspringt das Gefühl der Überlegenheit.[219] Die strategische Defensive sollte deshalb zumindest auf der operativen und taktischen Ebene von offensivem Handeln begleitet sein. Initiative und Wagnis provozieren Fehler beim Konkurrenten; er begeht hingegen kaum Irrtümer, wenn er nicht herausgefordert wird und allein im Besitz der Initiative gelassen wird.[220]

Strategie und Politik – am Beispiel der Schweiz

Wichtigster Anspruch und Aufgabe der Bundespolitik ist es, strategische Leitlinien für die Gemeinschaft Schweiz zu setzen. Politiker auf Bundesebene – das sind in erster Linie der Bundesrat sowie National- und Ständerat – müssen die Fähigkeit haben, strategisch zu denken und ebenso zu handeln. Strategie auf Bundesebene heisst, die politischen Kernbereiche erkennen, für sie die grossen Linien und allgemeinen Vorgaben festlegen. Strategie heisst in der Politik, auf Wünschbares zu verzichten und untergeordnete Fragen nicht selber zu regeln. Zur Strategie gehört allenfalls auch, Rahmenbedingungen und Grundsätze für die Verwaltung und die ausführenden Organe festzulegen, sowie deren Einhaltung und Erfüllung im Rahmen der Oberaufsicht zu kontrollieren.

Wie werden diese Grundsätze von der Bundespolitik heute befolgt? Wie handeln die drei wichtigsten strategischen Akteure, nämlich Bundesrat, Parlament und Volk? Die Antwort ist eher ernüchternd.

Der Bundesrat agiert selten als Gesamtregierung, sondern meist in sieben Einzel-Departementen. An die Stelle des «positiven Kollegialitätsprinzip», bei welchem die wichtigen Entscheide gemeinsam erarbeitet und vertreten werden, ist ein «negatives Kollegialitätsprinzip» getreten. Es besagt, dass ein Departementsvorsteher dem anderen nicht ins Gehege tritt und erwartet, dass der andere sich ebenfalls auf den eigenen Bereich beschränkt. Darum nimmt sich nicht der Gesamtbundesrat in erster Linie eines zentralen Problems an, sondern regelmässig das «zuständige» Departement. Ereignisse, die sich zu einem landesweiten Problem ausweiten, werden oft entweder nicht oder zu spät erkannt.

Der Bundesrat als Regierungskollegium verfügt über kein Nachrichtenorgan, in dem alle wichtigen Informationen aus Gesellschaft, Wirtschaft und Sicherheitspolitik des In- und Auslandes zusammenfliessen und über kein Mittel zur Lagebeurteilung. Jedes Departement besitzt zwar Mittel dazu, aber kein Mittel existiert in der Nähe des Bundesrates. So bleiben auftauchende Probleme zu lange Sache des einzelnen Departementes. Zur Angelegenheit der Landesregierung werden sie erst dann, wenn die Probleme fast unlösbar geworden sind. Die Ereignisse um die nachrichtenlosen Vermögen und der ausländische Feldzug gegen den Bankenplatz Schweiz sind schmerzliche Beispiele. Beigefügt sei, dass jedes Departement über eine ausgebaute Public-Relations-Organisation verfügt, nicht aber der Bundesrat, obwohl die Kommunikation in entscheidenden Fragen von ihm als kollegialem Gremium ausgehen müsste.

Bundesrat sein ist zu einer Aufgabe von fast übermenschlicher psychischer und physischer Belastung geworden. Departementsvorsteher sind derart intensiv ins Tages-, Detail- und Repräsentationsgeschäft eingebunden, dass ihnen der strategische Freiraum fehlt, sich hinreichend den grundlegenden Fragen zu widmen. Eine Staatsleitungsreform, welche die Kräfte besser und zielgerichteter einsetzt, tut der Schweiz dringend Not.

Eine Erhöhung der Zahl der Bundesräte von sieben auf neun oder elf ist nicht nötig. Sieben ist eine ideale Teamgrösse, weil es sich noch kohärent und ohne interne Gruppenbildung arbeiten lässt. Churchill hat Grossbritannien mit einem Fünfer-Kabinett erfolgreich durch den Zweiten Weltkrieg geführt. Nötig ist, dass sich der Bundesrat den Freiraum verschafft, strategisch zu denken und sich von Details zu entlasten.

Die Situation des National- und Ständerates als Milizparlament stellt sich ähnlich dar. Die Parlamentarier sind ebenfalls absorbiert von der «Administration Schweiz». Mit durchschnittlichen 100 – 120 Sitzungstagen und mehr pro Jahr sind sie überlastet. Ein nur temporärer Mitarbeiter, der eine Parlamentarierin oder einen Parlamentarier teilweise entlastet, kostet die eigene Kasse bereits mehr als das kleine Salär, welches der Bund ausrichtet. Parlamentarier in der Schweiz kann nur sein, wer entweder von einem Verband oder einem Unternehmen finanziert wird oder über genügend Nebeneinkünfte verfügt. Das hat den angenehmen Effekt, dass in der Schweiz in erster Linie aus Lust und nicht aus Gründen des Einkommens politisiert wird. Der überwiegende Nachteil aber ist, dass sich das Parlament – genau wie der Bundesrat – zuwenig den strategisch relevanten Probleme widmen kann.

Der Bürgerin und dem Bürger geht es kaum besser. Sie sind beruflich und privat meist überlastet und «gestresst» durch die Hektik der modernen Arbeitswelt und ihres Privatlebens. Die sinkende politische Beteiligung der Bürgerinnen und Bürger zeigt, dass sie zunehmend die eigene Betroffenheit in den Vordergrund stellen und der Gesamtblick abseits der eigenen Interessen in den Hintergrund tritt. Zudem überreizt sie das tägliche «Infotainment» der Medien, welches in erster Linie auf den Schaukampf der Gegensätze ausgerichtet ist und mehr Unterhaltung denn Information bietet.

Was die Schweiz also benötigt, sind politische Führungspersönlichkeiten, die in der Lage und Willens sind, strategisch zu denken und zu handeln. Konkret denken wir an Politiker, welche die strategisch bedeutsamen Fragen unseres Landes mit Blick über die

Parteigrenzen hinaus angehen. Politiker, die sich für die gesetzten Prioritäten und getroffenen Entscheide mit ihrer ganzen Persönlichkeit einsetzen und so gewillt sind, Anliegen in der Demokratie mehrheitsfähig zu machen.

Welche strategisch bedeutsamen Probleme müsste die Bundespolitik anpacken? Sie sind abhängig von unserer Zeit. Heute betrachten wir die folgenden fünf Aufgabenbereiche als der strategischen Ebene zugehörend:

1. Die Reform der aus dem vergangenen Jahrhundert stammenden Bundesverfassung und Staatsleitung, weil sie die Basis politischen Handelns und künftiger Reformen sind.

2. Die Globalisierung, Entnationalisierung, Dezentralisierung und Regionalisierung des Staatswesens, die neue politische und wirtschaftliche Lebensräume schafft und die bestehenden Ordnungs- und Machtstrukturen unterlaufen.

3. Der Verbrauch der Ressourcen in kurzer Zeit zu Lasten künftiger Generationen: Dies gilt für die Bundesfinanzen, wo sich der Bund in wenigen Jahren eine Schuld von 100 Milliarden aufgebaut hat, wie für den Energiebereich, wo wir in wenigen Generationen alle Vorräte an fossiler Energie verbrauchen, welche die Erde während hunderten von Millionen Jahren aufgebaut hat. Unsere Generation leistet sich einen hohen Lebensstandard und Luxus auf Kosten unserer Kinder und Grosskinder.

4. Die damit verbundene Aufgabe, unsere Sozialwerke in eine gesicherte Zukunft zu führen. Aber nicht bloss aus finanziellen Überlegungen: denn die Sozialwerke sind heute ein zentrales Identitätselement der Willensnation Schweiz.

5. Die Sicherheitspolitik, weil sich die Sicherheitsräume von den Landesgrenzen an die Grenzen Europas verschoben haben und die Neutralität zwar nicht notwendigerweise hinfällig, aber im Rahmen der neuen sicherheitspolitischen Lage Europas und der Welt neu zu definieren ist.

Es dürfte nicht schwer sein, für die Priorisierung dieser fünf Staatsaufgaben eine Mehrheit zu finden. Schwieriger ist es, eine Lösung für das «wie» anzubieten. Dabei kommen zwei politisch liebgewordene Gewohnheiten mit dem strategischen Denken und Handeln ins Gehege. Erstens werden wir durch unsere Mentalität vom Sicherheitsdenken dominiert, was vor allem Verzicht auf Veränderungen und Bewahren des Status quo bedeutet. Zweitens beherrschen die Details das Geschehen. Es fehlt sehr oft der Wille und die Fähigkeit, sich auf das Wesentliche zu beschränken. Details dominieren, aber gleichzeitig verwehren Details den Blick für die strategischen Linien.

Sicher darf eine Nation wie die Schweiz, die nur durch politischen Willen verschiedene Kulturen und geographische Teile vereinigt, nicht von der Konkurrenz zwischen einer Mehr- und einer Minderheit geleitet werden. Strategisches Handeln und Konkordanzdemokratie sind keine Gegensätze. Auch die Konkordanz bietet Anlass und Gelegenheit, strategisch bedeutsame Fragen zu eruieren und darüber eine Einigkeit zu suchen oder die Uneinigkeit zu definieren. Kardinalfragen sind zum ersten, ob unter vier politischen Parteien diese Konkordanz zu erzielen ist, und zum zweiten, in welchen Kernfragen bzw. strategischen Linien eine Einigkeit erzielt werden kann.

Bedeutung des Teams im strategischen Denkprozess

Diskussionen sind ein wichtiges Mittel, ja vielleicht sogar Bedingung des strategischen Denkens.[221] Vor wichtigen Entscheidungen beriet sich Alexander oft mit den engsten Vertrauten, insbesondere auch dann, wenn er von der Meinung seiner Ratgeber abweichende Entscheidungen fällte. Das Formulieren von Hypothesen, das Bilden von Synthesen lebt vom Gedankenaustausch, von der Verschiedenheit der Standpunkte. Aber auch die logische Analyse macht den Gedankenaustausch erforderlich, da er das notwendige Element der kritischen Überprüfung einbringt. Neben der besseren Lösung führt der Gedankenaustausch auch zu einer erhöhten Legitimation der Entscheidungen.[222]

Darin liegt die wesentliche Bedeutung von Verwaltungsräten, Ausschüssen und Geschäftsleitungen. Wichtig ist hierbei, dass Teams und Gremien nicht nur aus hierarchisch unter- oder übergeordneten Teilnehmern zusammengesetzt werden, sondern auch aus hierarchisch gleichgeordneten Teilnehmern. Es besteht sonst immer die Gefahr, dass einzelne Teilnehmer Hemmungen haben, sich zu äussern, diese Gremien und Teams manipuliert oder dass Gefälligkeitsäusserungen gemacht werden.[223]

Diskussionen und kritischer Gedankenaustausch müssen herausgefordert werden und entstehen in der Regel nur, wenn das Team mindestens aus drei Mitgliedern besteht: «tres faciunt collegium».[224] Vermutlich muss sich ein Wettbewerb der Meinungen, mit dem Ziel, eine Mehrheit zu überzeugen, abspielen. Zwei Personen bilden eine allzu kohärente Gruppe,[225] entwickeln eine zu grosse Intimität[226] und laufen demzufolge Gefahr, sich zu rasch zu einigen oder mit den Meinungen des andern abzufinden, oft nur um das Verhältnis nicht zu trüben.

Dies bedeutet nicht, dass Gremien und Teams keiner Führung bedürfen. Im Gegenteil, nur geführt arbeiten sie effizient und nur so kann verhindert werden, dass sich die Debatten im Kreise drehen.[227] Dies trifft namentlich für Gremien hierarchisch gleichgeordneter Teilnehmer wie Verwaltungsräten zu, wo (An-)Leitung notwendig ist.

Persönlichkeitsmerkmale des Strategen

Aus unseren Darlegungen können wir versuchen, Persönlichkeitsmerkmale und Eigenschaften des Strategen herauszuschälen. Bis zu einem gewissen Grad kann man diese erwerben und seine eigene Persönlichkeit entwickeln. Vermutlich eignen sich aber nicht alle Personen für dieselben Aufgaben, und insbesondere gibt es Persönlichkeiten, die im Vergleich zu andern eher strategisch orientiert sind und entsprechende Fähigkeiten besitzen.[228]

Alexander war in besonderem Masse zum strategischen Denken befähigt. Von Plutarch ist überliefert, dass Alexander bereits als Kind persischen Gästen intelligente Fragen stellte, um seinen Wissensdurst zu stillen und neue, nicht leicht zugängliche Erkenntnisse zu erlangen.[229] Auch Alexanders Biograph Arrian gibt uns einige Hinweise auf dessen Persönlichkeitsmerkmale, die in diesem Zusammenhang von Interesse sind: Er beschreibt Alexander unter anderem als von leidenschaftlichem Temperament, kühner Entschlusskraft, Ehrgeiz bei gleichzeitiger Ehrfurcht vor Gott, risikofreudig und gewissenhaft; ferner habe er den Charakter besessen, begangene Fehler zu bereuen und damit Einsichtsfähigkeit bewiesen.[230]

Welches sind die Persönlichkeitsmerkmale und Eigenschaften des Strategen?

– Vernunft, «Common Sense»;[231]
– Allgemeinbildung, Aufgeschlossenheit und breites Interesse, reflektive und intellektuelle Persönlichkeit,[232] Fähigkeit zum Zuhören;
– Selbstvertrauen und Besonnenheit;
– Fähigkeit zur Selbstkritik und zur Einsicht;
– Selbstbeherrschung, Zurückhaltung;
– Grosszügigkeit, Fähigkeit zum Geniessen;
– Tatkraft, Unternehmenslust, Entschlusskraft;
– Fähigkeit, Prioritäten zu setzen, Wichtiges von Unbedeutendem zu trennen und damit verzichten zu können.

Folgende Eigenschaften sprechen demgegenüber eher gegen eine strategisch denkende Persönlichkeit:

– Vielredner;
– zur Überheblichkeit neigendes Selbstvertrauen;
– Pedanterie;
– fleissige Geschäftigkeit;
– extreme Sportlichkeit, weil dies eher Ausdruck einer zu starken Ich-Bezogenheit ist.

> «Dann rief er seine Getreuen und die Heer-
> führer und Ilarchen sowie die Führer der
> Bundesgenossen und der fremden Söldner zu-
> sammen und beriet mit ihnen (vor der
> Schlacht bei Gaugamela, Anm. der Autoren),
> ob er gleich auf der Stelle seine Phalanx in
> die Schlacht führen sollte, wie das die meisten
> forderten oder ob er, wie es Parmenion für
> richtig hielt, erst ein Lager aufschlagen
> und das ganze Gelände rekognoszieren sollte,
> … Es siegte aber Parmenion mit seiner Mei-
> nung, …»[233]

Kritikfähigkeit und Umgang mit Kritik werden heute häufig als eine der wichtigsten Aufgaben von Führungspersönlichkeiten genannt und als entscheidende Voraussetzung für ihre Lern- und Anpassungsfähigkeit in einem sich ständig ändernden Umfeld angesehen.[234]

In diesem Kapitel wollen wir der Frage nachgehen, ob Alexander divergierende Meinungen gelten liess, ob er eine Atmosphäre schuf, in der auch schlechte Nachrichten oder Kritik geduldet, ja gefördert wurden, und inwieweit er bereit war, zuzuhören und sich überzeugen zu lassen.

Parmenion, der erfahrene General, erscheint bei Arrian des öfteren als Ratgeber Alexanders: Vor der Schlacht bei Gaugamela riet Parmenion, die Perser bei Nacht anzugreifen. Alexander antwortete ihm, weil auch andere ihre Unterredung hörten, es sei schmählich, den Sieg zu stehlen; ein Alexander müsse am hellen Tage und ohne Betrügerei siegen.[235] Gegen den Rat Parmenions brannte Alexander den persischen Königspalast nieder.[236] Während der Belagerung von Tyros bot Dareios an, alles Land diesseits des Euphrats bis zum griechischen Meer an Alexander abzutreten. Parmenion soll gesagt haben, er selber würde, wenn er Alexander wäre, unter diesen Voraussetzungen den Krieg gegen Persien aufgeben. Alexander habe dem Parmenion geantwortet, ja, wenn er Parmenion wäre, würde er so handeln; da er aber Alexander sei, werde er antworten, dass er von Dareios weder Geld noch von seinem Land anstatt des Ganzen nur einen Teil zu empfangen brauche.[237]

Die Seher übten in der Antike einen grossen Einfluss aus: Als die Skythen in ihrem Abwehrkampf entlang eines Flusslaufes nicht nachliessen, beschloss Alexander, den Fluss zu überschreiten. Wie er aber wegen des Überganges opferte, deutete sein Seher Aristandros die Zeichen ungünstig. Alexander aber erklärte, er wolle lieber in äusserste Gefahr kommen als jetzt, wo er schon fast ganz Asien unterworfen hätte, den Skythen zum Gespött werden. Aristandros entgegnete darauf, er könne unmöglich, im Widerspruch zu den Zeichen der Gottheit, anders aussagen, weil Alexander etwas Anderes hören wollte.[238] Als der Seher Peithon in Babylon Alexanders Tod voraussagte, habe Alexander gar nicht daran gedacht, Peithon deswegen zu zürnen; vielmehr habe er ihm noch mehr Huld erwiesen, weil er ihm offen die Wahrheit zu sagen gewagt habe.[239]

Nach der Rede Alexanders auf die Weigerung der Makedonen am Hyphasis, weiter nach Osten zu ziehen, wagte dem König niemand offen zu widersprechen, und keiner wollte ihm zustimmen. Daher forderte Alexander sie zu wiederholten Malen auf, es möge einer sprechen, der etwa das Gegenteil von dem meine, was er gesagt habe. Trotzdem hielt das Schweigen noch lange an. Schliesslich fasste sich Koinos ein Herz und ergriff das Wort. Als Koinos zu Ende gesprochen hatte, war Alexander entrüstet über den Freimut des Koinos und das Schweigen der anderen Generäle.

Alexander schloss die Versammlung, rief am folgenden Tag noch einmal alle zusammen und erklärte ihnen voll Zorn, er werde keinen Makedonen zwingen, ihm widerwillig zu folgen, denn er werde genügend Männer finden, die ihrem König gerne folgen würden. Danach zog er sich in sein Zelt zurück und blieb dort drei Tage.[240]

Unter denjenigen, die sich gegenüber Alexander äussern, erkennen wir Parmenion (den älteren, erfahrenen General, der bereits seinem Vater Philipp gedient hat), seine Direktunterstellten (die Getreuen, Generäle und Regiments- bzw. Abteilungskommandanten), die Wissenschaftler (Ingenieure, Schriftgelehrte, Historiker, Ärzte, Forscher), die Seher und alle seine Soldaten. Alexander war seit seinem Amtsantritt beinahe pausenlos unterwegs. Er lebte mitten unter seinem Gefolge und seinem Heer. So wie er sich direkt mit ihnen allen – zum Beispiel mittels seiner Reden – oder mit ausgewählten Einzelnen jederzeit in Verbindung setzen konnte, so war er auch für sie sichtbar und im weitesten Sinne auch ansprechbar.

Arrians Biographie zeigt deutlich, dass Alexander Kritik im umfassenden Sinn nicht nur geduldet, sondern auch gefördert hat. Seine Allgegenwart, sein Interesse an allem und allen und seine Vertraulichkeit nicht nur gegenüber seinen engsten Freunden schufen ein Klima der Offenheit. Dazu beigetragen haben wahrscheinlich auch die gemeinsam ertragenen Gefahren unzähliger Gefechte und abenteuerlicher Züge «bis ans Ende der Welt», die nicht seltenen dionysischen Festessen sowie die sportlichen und musischen Wettkämpfe.

Alexander suchte offenbar die Meinung anderer, um seinen eigenen Entschluss daran zu messen. Er bewahrte sich dabei seine Unabhängigkeit, selbst gegenüber dem Urteil der Seher, das rationalen Überlegungen kaum zugänglich ist. Massstab aller Dinge blieb stets Alexander selber.

Hingegen ist eine gewisse Unberechenbarkeit in Alexanders Reaktionen nicht zu verneinen. Einmal wird er auch dann zornig, als er ausdrücklich darauf bestanden hatte, dass ihm jemand antworte, und zieht sich schmollend in sein Zelt zurück; das andere Mal überhäuft er den Ratgeber mit Geschenken. Aus unserer heutigen Sicht bleibt die Tötung des Kleitos, auch wenn ihn dieser vor allen Anwesenden übermässig und nicht entschuldbar gedemütigt hat, eine drakonische Strafe und ein Racheakt. Ähnliches gilt bezüglich dem unnatürlichen Ableben von Parmenion und Kallisthenes, auch wenn diese in Verschwörungen gegen Alexander verwickelt gewesen sind, was aber nie mit Sicherheit geklärt wurde. Wir empfinden aber auch ein gewisses Verständnis für Alexander: Offene, unverblümte Meinungen und Ratschläge, ja offene Kritik am Verhalten oder an Absichten des obersten Feldherrn und Königs können vorgetragen werden. Diese werden akzeptiert, auch wenn gewisse, darin enthaltene Worte und Urteile schmerzen. Demütigungen in der Öffentlichkeit und Verschwörungen, die sich eindeutig gegen die Person Alexanders richten, können nicht toleriert und müssen zwangsläufig sanktioniert werden. Letztere Fälle wären auch heutzutage nicht tragbar, und die Urheber müssten entlassen oder diszipliniert werden.

Zum Verständnis der Begriffe

Geht es bei der Kritikfähigkeit darum, den eigenen Vorgesetzten zu beraten, sein Verhalten oder seine Ideen und Absichten zu kritisieren, so sprechen wir von Umgang mit Kritik, wenn eine Führungskraft die Meinungen und Überzeugungen ihrer eigenen Mitarbeiter anhört und respektiert. Über andere Menschen in ihrer Abwesenheit zu sprechen, ist nichts besonderes, sondern etwas ganz alltägliches, das sich überall und zu jeder Zeit abspielt, ob wir das gut und fair finden oder nicht. Kritikfähigkeit und Umgang mit Kritik bedeuten, einer Person, zu der man in einem Vertrags-, Auftrags- oder Beamtenverhältnis steht, offen entgegenzutreten und entweder als Unterstellter dem Vorgesetzten seine persönliche Haltung oder Ansicht zu relevanten Geschäftsbereichen darzulegen oder als Chef die ungeschminkte Meinung der Mitarbeiter zu akzeptieren. Dazu gehören Selbstvertrauen, Zivilcourage, Hingabe für eine Aufgabe und Loyalität gegenüber dem Partner. Kritikfähigkeit und Umgang mit Kritik sind Tugenden, zu denen Führungskräfte in der Lage sein sollten.

Ein illustratives Beispiel für Kritikfähigkeit und Umgang mit Kritik ist der amerikanische General und spätere Verteidigungs- und Aussenminister George C. Marshall. In seinen jüngeren Jahren widersprach er General Pershing, Oberbefehlshaber des US-Expeditionskorps im Ersten Weltkrieg, später konfrontierte er Präsident Roosevelt mit unangenehmen Dingen: «He told the truth even when it hurt his cause.» Marshall war ein integrer, loyaler Unterstellter, der seine Kritik immer in gemässigtem Ton vortrug. Gegenüber seinen Mitarbeitern schuf er eine Atmosphäre des gegenseitigen Respekts und forderte sie auf, ihm die Wahrheit zu sagen. In seiner ersten Woche als Generalstabschef der Armee machte er seinem Stab bittere Vorwürfe, weil seine Stabsoffiziere unterlassen hatten, ihm ihre gegenteiligen Ansichten mitzuteilen. Hingegen missbilligte er Offiziere, welche ihm aus Karrieregründen flattierten.[241]

Voraussetzungen: Gewissen und ethische Werte

Kritikfähigkeit verlangt von einer Führungskraft, sich selber und den eigenen Vorstellungen, ihrem Gewissen und den ethischen Werten treu zu bleiben. Es geht auch darum, Gesetzeswidrigkeiten zu verhindern, Missstände oder Verbesserungsmöglichkeiten aufzuzeigen, nicht offensichtlich um der eigenen Karriere willen, sondern vorrangig zum nachhaltigen Wohle der Organisation, der man dient. Psychologische und charakterliche Voraussetzungen sind ein bestimmtes Selbstbewusstsein, vielleicht sogar die Überzeugung, etwas Besonderes zu sein. Dies ist eine gesunde Überzeugung, die sich darin äussert, andere in höheren Positionen als menschlich Gleichgestellte zu betrachten, ihnen unvoreingenommen zu begegnen und eigene Gedanken offen darzulegen.[242]

Dazu kommt eine gewisse Unabhängigkeit in geistiger und vielfach auch in materieller Hinsicht, weil derjenige, der finanziell abgesichert ist, es sich eher leisten kann, Kritik zu äussern. So konnte Oberstleutnant von der Marwitz, der sich gegenüber Friedrich dem Grossen geweigert hatte, Schlösser in Sachsen zu plündern und zu zerstören, trotz Prestigeverlust getrost seinen Abschied nehmen. Auf seinem Grabstein steht geschrieben: «Er wählte Ungnade, wo Gehorsam nicht Ehre brachte.»[243]

Die Persönlichkeiten des deutschen Widerstandes gegen den Unrechtsstaat Hitlers wussten hingegen, dass sie Kopf und Kragen riskierten. Generaloberst Ludwig Beck, Generalmajor Henning von Tresckow, Oberst Claus Graf von Stauffenberg, Helmuth James Graf von Moltke, Peter Graf Yorck von Wartenburg und viele andere sagten «nein» zu einem Unrechtsregime um der ethischen, sittlichen, militärischen Ehre willen und zahlten mit ihrem Leben. Sie fühlten sich nur dem eigenen Gewissen oder Gott gegenüber zu Rechenschaft verpflichtet.[244] Sie sind uns noch heute leuchtende Beispiele für wahre geistige Gesinnung und Unabhängigkeit.

Abgesehen vom Ungehorsam gegenüber einem Unrechtsregime, muss aber im Normalfall gefordert werden, dass die Kritik sachlich und in Ton- und Wortwahl angemessen erfolgt und nicht demütigend wirkt, wie im Falle von Kleitos gegenüber Alexander. Führungskräfte verdeutlichen ihre Kritik an einem aussagekräftigen Beispiel, bieten eigene Lösungsansätze an und besprechen dies direkt und unter vier Augen, genau gleich wie sie es im Falle eines Lobes auch tun.[245]

Kritik ermöglichen

Je höher und erfolgreicher eine Führungskraft, umso wichtiger ist ihr die Meinung anderer. Ob ein Stabschef und dessen Stab, persönliche Mitarbeiter, die «Getreuen», ein «think tank», die direktunterstellten Linienvorgesetzten, der Verwaltungsrat oder ein anderes Gremium diese Aufgabe im Einzelfall übernimmt, ist sekundär und hängt von der betroffenen Führungskraft und den besonderen Umständen der Organisation ab. Entscheidend ist, dass eine Führungskraft die Kritik von Mitarbeitern zulässt, sie ermöglicht und fördert.

Wer ist zur Beratung einer wichtigen Führungskraft prädestiniert? Wir meinen, dass hierzu nicht primär junge Hochschulabsolventen oder ältere, in der Organisation hochgediente Mitarbeiter zugezogen werden sollten, sondern die sogenannten «hommes de confiance». Darunter verstehen wir Vertrauensleute, welche charakterlich gefestigt, geistig offen und unabhängig, fachlich kompetent, ehrgeizig, aber nicht karrieresüchtig und dem Chef loyal gesinnt sind, mit ihm vielleicht auch berufliche oder menschliche Krisen durchgestanden, sich hier bewährt haben und deshalb eine Vertrauensstellung verdienen.

Führungskräfte sollten Kritik geradezu suchen; sie sollten Führung als Konfliktstrategie verstehen und gewillt sein, eine integre Unternehmenskultur zu schaffen. Ian Timmer, der Vorsitzende der Philips Electronics, verfolgte mit der «Operation Centurion» die Absicht, den Umgang der Philips-Mitarbeiter untereinander zu verbessern. Mehrmals im Jahr kommt es zwischen Angestellten aller Ebenen, Produktlinien und Ländern zu einem Treffen, bei dem strategische Pläne, Produkte und Prozesse diskutiert werden. Jede Stimme hat Gewicht, die Hierarchie wird ausser Acht gelassen. Persönliche Angriffe werden nicht geduldet, aber Meinungsverschiedenheiten sind erwünscht, auch wenn Führungskräfte davon betroffen sind.[246] Sir Colin Marshall, CEO von British Airways, ist viel auf Reisen, um Feedback von seinen Verantwortungsträgern zu erhalten und das «Ächzen» zu hören. Nach eigenen Aussagen hat er leitende Manager entlassen, die nicht auf Kritik hörten, und Individualisten befördert, die das System in Frage stellten.[247] Bei einem Gemeinschaftsprojekt von IBM und Motorola kamen divergierende Unternehmenskulturen zum Vorschein: Während bei Motorola die Leute gewohnt waren, in den Sitzungen offen über ihre Meinungsverschiedenheiten zu sprechen und Vorschläge zu hinterfragen, empfanden die IBM-Leute diesen Kommunikationsstil als respektlos. Die IBM-Sitzungen waren dazu da, «gemachte Sachen» vorzutragen; gegensätzliche Meinungen wurden später einzeln und bilateral besprochen. Betrachtet man die Zuwachsraten beider Unternehmen in den neunziger Jahren, so stellt man fest, dass Motorola besser dasteht.[248]

In der amerikanischen Armee hat sich das System der AAR's, der after action reviews, bewährt, das vor allem nach Gefechtsübungen angewendet wird. Die zentralen Fragen, welche an diesen Besprechungen gestellt werden, lauten: Was ist geschehen? Wieso ist es passiert? Was können wir daraus lernen? Die Teilnehmer werden in die Diskussion dieser Fragen miteinbezogen und nicht einseitig kritisiert oder nach Erfolgs- bzw. Misserfolgskriterien beurteilt. General Gordon R. Sullivan, Generalstabschef der Armee von 1991–1995, hat offenbar auch bei sich persönlich AAR's durchführen lassen: «Disagreement is not disrespect … Today AARs take place in garrisons, on staffs, and in headquarters – everywhere soldiers gather to perform some task. My personal staff would hold AARs for me after a major event in which I had participated. I did not especially enjoy discussing the gaps in my own performance – especially when I felt pretty good about what I had done – but these AARs helped me to improve, and they helped my staff learn to support me better.»[249] General Sullivan spricht hier offen aus, was wir selber bei uns feststellen. Wir möchten lieber nur Zustimmung, Lob und Anerkennung ernten, als unser Ego dem rauhen Wind der Kritik aussetzen. Wir müssen uns gegen diese Bequemlichkeit wehren. Nur so werden wir lernfähiger, besser und – unseren Mitarbeitern gegenuber – auch glaubwürdiger.

Schlechte Nachrichten müssen auf oberen Etagen rasch gehört werden und willkommen sein. Darf bei Produkten die «zero-defect-strategy», die Null-Fehler-Quote gefordert werden, so müssen bei Menschen und im Umgang mit Menschen Fehler erlaubt sein. Aus Fehlern lernt man und wird klüger. Der Überbringer der schlechten Nachricht darf nicht «erschossen», nicht entlassen werden. Alle Mitarbeiter im engsten Kreis von Präsident Nixon, welche die Wahrheit sagten, kündigten, wurden zurückgestuft oder entlassen. Am Ende blieben nur noch die Ja-Sager und Lügner übrig. Wir wissen, dass der Watergate-Skandal zum politischen Ende und zum Rücktritt des Präsidenten geführt hat. [250]

Mögliche Gefahren

Mit Kritik umgehen zu können, bedeutet, sich über die vielen Fallen Rechenschaft zu geben. Keine Führungskraft ist davor gefeit – auch Alexander war es nicht –, hie und da in eine zu tappen, auch wenn oder gerade weil er sich von «seinen» Vertrauensleuten beraten weiss.

Die gefährlichsten Fallen seien hier aufgezählt: Wir lehnen sie alle ab, alle die Schmeichler, die «nickenden Esel» und «Ja-Sager». Wir verweisen auf Leute wie Keitel und Jodl, Hitlers Lakaien, oder auf den «ausführenden Stabschef», der bloss die «kaiserlichen Order» abfassen darf wie Berthier, Napoleons Stabschef. Gleichzeitig merken wir aber nicht, dass wir gerade wieder einen «Ja-Sager» befördert haben, und lieber dynamische und geschäftige Mitarbeiter um uns haben, die Aufträge mit einem Lächeln quittieren, als intelligente Hinterfrager.

Wir wollen uns nicht mit Kritik auseinandersetzen, weil diese unsere kostbare Zeit in Anspruch nimmt, übersehen aber dabei, dass vielfach erst Konflikte Organisationen in Schwung bringen. Im Grunde steht hier der Führende vor einem menschlichen Problem mit sich selber, denn es geht nicht nur um das Wohl der Organisation, sondern immer auch, ob bewusst oder unbewusst, um die eigene Person. Jede noch so gut gemeinte, in gemässigter Weise vorgebrachte Kritik rührt an unseren Stolz und tangiert unsere berufliche oder gesellschaftliche Stellung. Kritik verunsichert. Das ist menschlich und in einem gewissen Mass auch verständlich. Wer aber weiterkommen und Erfolg haben will, muss auch mit Kritik umgehen können.

Keine Zeit für die Direktunterstellten haben zu wollen, ist ein weiteres verbreitetes Übel. Oberste Chefs dürfen sich nicht nur auf ihre speziellen Vertrauensleute abstützen, sondern müssen in erster Linie ihre Direktunterstellten zu sich rufen und auch von sich aus den Kontakt zu diesen suchen. Mit ihnen zusammen – und nicht allein mit ihren Getreuen – führen sie schliesslich die Organisation.

Ältere und vom Erfolg verwöhnte Chefs verfallen öfters dem Fehler, zwar den Überbringer einer schlechten Nachricht nicht gerade zu «erschiessen», ihm aber gar nicht zuzuhören, selber viel zu sprechen und aus dem eigenen Erfahrungsschatz zu zitieren. Sie lassen die vorgetragene Ansicht entweder nicht an sich herankommen oder mindern sie schlicht in ihrem Gehalt herab. Sie sagen es nicht, meinen es aber: «Als ich so alt war wie Sie glaubte ich auch, die Dinge wären so einfach zu ändern.» Zuhören zu können ist nicht nur eine Gnade, sondern eine Frage der Führungskompetenz.[251]

Klima des Vertrauens und Selbstkritik

Mit Kritik umgehen zu können, setzt ein Klima des Vertrauens voraus. Führungskräfte sollten gewillt sein, eine integre Unternehmenskultur zu schaffen, so wie dies offenbar Abraham Lincoln gelungen ist: «Lincoln essentially treated his subordinates as equals; they were colleagues in a joint effort. He had enough confidence in himself that he was not threatened by skillfull generals or able cabinet officials. Rather than surround himself with ‹yes› men, he associated with people who really knew their business, people from whom he could learn something, whether they were antagonistic or not.»[252]

Andrew Grove, CEO von Intel und Mann des Jahres 1997 von TIME Magazine, brach Barrieren zwischen oben und unten auf, indem er seine Führungskräfte aufforderte, mit ihren Mitarbeitern täglich zusammenzukommen, gegenseitig Informationen auszutauschen, voneinander zu lernen und so eine gemeinsame Kultur aufzubauen: «The main purpose is mutual teaching and exchange of information.» Jeder Mitarbeiter kann dabei seinem Vorgesetzten widersprechen, wenn er einen Entscheid für suboptimal oder etwas für verbesserungswürdig hält.[253]

Auch die Fähigkeit zur Selbstkritik und -hinterfragung gehört in diesen Zusammenhang. Selbstkritisch sein bedeutet zum einen, sich des eigenen Menschseins bewusst zu sein: Selbst der oberste, omnipotente Chef ist und bleibt ein Mensch, der Unzulänglichkeiten aufweist, selber Fehler begeht und eines Tages sterben wird. Selbstkritisch handelt derjenige, der sich selber nicht so wichtig nimmt und bereit ist zu lernen aus eigenen Fehlern und von anderen: Zum Beispiel von British Airways, die einen eigenen «Hofnarren» beschäftigen[254] oder vom 82-jährigen Matsushita, der 1977 den in der Hierarchie des Konzerns an 25. Stelle stehenden Yamashita zu sich rief und ihn zum Präsidenten des Verwaltungsrates machte, vor allem deshalb, weil dieser es öfters gewagt hatte, seine eigene Meinung offen im Direktorium zu vertreten.[255]

Wer lernfähig ist, bleibt damit auch entwicklungsfähig. Wer über Ereignisse oder Personen der Vergangenheit sowie über sich und die eigene Zeit nachdenkt, ist eher befähigt, daraus Ansätze zum Vordenken und zur Gestaltung der eigenen Zukunft und der Zukunft seiner Organisation zu ziehen.

«Aber trotzdem packte Alexander die Arbeit
an. War er doch fest davon überzeugt,
dass ihm alles zugänglich und erreichbar wäre;
zu einem solchen Grade von Wagemut
und Glauben an den Erfolg war sein Wesen
gesteigert.» [256]

Alexander wurde in seinem Leben stets von Erfolg begleitet. Alles,
wozu es ihn drängte, packte er mit einer grossen Hartnäckigkeit
an. Er versuchte es so lange, bis es ihm gelang. Nur zweimal wurde er besiegt. Einmal durch seine eigenen, kriegsmüden Soldaten,
die ihm am Hydaspes nicht mehr länger nach Osten folgen wollten, und letztlich durch den Tod.

Dass der Erfolg Alexander beflügelte, steht ausser Zweifel.
Machte er ihn auch blind? Wir verneinen dies, obwohl es Anzei-
chen dafür gibt, dass Alexander in seinen späteren Jahren leichter
zornig wurde und «nicht mehr so huldvoll wie früher» [257] war. Im
übrigen weist aber nichts auf eine charakterliche Deformation im
Sinne eines stärkeren Machtmissbrauchs, herrischen Auftretens,
willkürlichen Handelns oder Selbstzufriedenheit und Trägheit im
Denken hin. Bis zuletzt blieben seine charakterlichen und geistigen Kapazitäten den Dingen gewachsen. Seine Leistungs- und
Innovationsfähigkeit wuchs eher noch mit Zunahme von Zahl,
Komplexität und Dimensionen der Aufgaben. [258]

«Fortune» als Erfolgsfaktor

Zum Erfolg gehöre Glück, sagt man. Die Lebensgeschichte Alexanders bezeugt, dass auch er es in Anspruch genommen hat: Zum Beispiel der Tod Memnons, seines Gegenspielers, bei der Belagerung von Mytilene oder die Rettung seines Lebens durch Kleitos in der Schlacht am Granikos und später durch die Kameraden in der Mallerschlacht.[259] Ist es das «Glück des Tüchtigen» oder das, was gemeinhin unter der «glücklichen Fügung des Schicksals» verstanden wird? Napoleon soll – bevor er einen Offizier zum General beförderte – stets gefragt haben, ob dieser «fortune» besitze. Napoleon, der Alexander und die anderen grossen Feldherren der Geschichte, Hannibal, Caesar, Turenne, Eugen und Friedrich den Grossen, studiert hatte, bezeichnete denjenigen als «glücklich», der seine Tüchtigkeit und seinen Mut, ein kalkuliertes Risiko einzugehen, mehrmals mit Erfolg bewiesen hatte.[260] Dies trifft auf Alexander in hohem Masse zu. Das Schicksal oder die glücklichen Umstände, auf die wir Menschen keinen oder nur einen geringen Einfluss haben, sind zweifellos ein Erfolgsfaktor. Wir denken an das, was man gemeinhin als «der rechte Mann / die rechte Frau zur rechten Zeit» bezeichnet: Auch wenn Churchill und de Gaulle äusserst begabte Persönlichkeiten gewesen sind, hätten sie ohne den Ausbruch des Zweiten Weltkrieges kaum derart umfangreiche Biographien schreiben können.[261]

Bedeutung günstiger Voraussetzungen

Kritiker Alexanders haben etwa darauf hingewiesen, dass er seinen Erfolg vorab den günstigen Voraussetzungen verdanke, welche sein Vater, König Philipp II., und Aristoteles geschaffen haben. Philipp hat mit seinen Eroberungen und Leistungen, darunter der Expansion des Makedonischen Reiches und der Schaffung einer kriegserprobten, die Kampfform der die Phalanx beherrschenden Armee, seinem Sohn die Grundlagen zur Verwirklichung seiner grossen Pläne in die Hand gespielt. Und Aristoteles hat es meisterhaft verstanden, den jungen, intelligenten Alexander zu bilden und auf grosse Aufgaben vorzubereiten.

Nichts entsteht aus dem Nichts. Selbst Phönix entstieg der Asche. Die meisten von Menschen vollbrachten grossen Taten basieren in irgendeiner Weise auf günstigen Voraussetzungen. So wäre Friedrich II. wohl kaum der Grosse genannt worden, hätte sein Vater, König Friedrich Wilhelm I., genannt der Soldatenkönig, nicht mit dem Aufbau eines modernen zentralistischen Staates und vor allem einer schlagkräftigen Armee von «langen Kerls» den Grundstein für die Eroberungskriege seines Sohnes gelegt. Ohne französische Revolution, ohne die anschliessende Terrorherrschaft und ohne den aufkommenden Nationalismus mit den Bürger- bzw. Massenheeren wäre die Herrschaft Napoleons über Europa kaum möglich gewesen. Der militärische Sieg General Schwarzkopfs und der Alliierten im 2. Golfkrieg wäre ohne die von Präsident Bush geschaffene strategische Ausgangslage, wie zum Beispiel die UN-Resolutionen, die Bildung einer internationalen Koalition und der militärische built-up kaum erklärbar. Ähnliches lässt sich aus wirtschaftlicher Perspektive sagen. Kleinere, erfolgreiche Firmen in zweiter oder dritter Generation sind vielfach von einer pionierhaften Persönlichkeit gegründet und zu ersten Erfolgen geführt worden; die nachfolgenden Generationen können darauf aufbauen, müssen aber den Erfolg unter neuen wirtschaftlichen und politischen Rahmenbedingungen stets von neuem erkämpfen. Unternehmen, die nicht gesund sind, das heisst nicht Gewinne erzielen, können auch nicht forschen oder neue Produkte entwickeln. Visionen und Ziele, welche Unternehmen eine prosperierende Zukunft öffnen, entstehen und wachsen in der Regel nur auf einer soliden Grundlage.

Es wäre falsch, die Leistungen Alexanders einseitig auf die von seinem Vater und Aristoteles erbrachten Vorleistungen zurückzuführen. Günstige Voraussetzungen sind nicht für ein und allemal gegeben, sondern müssen stets von neuem wieder geschaffen werden. Dies hat Alexander in überzeugender Weise getan. Er hat sich seine Basis immer wieder erarbeitet. Erst nachdem diese etabliert war, ging er weiter. Die Einnahme der Hafenstädte am Mittelmeer und die Sicherung der Logistik- und Kommunikationswege sind eindeutige Belege hierfür. Überhaupt wären die während vielen Jahren kontinuierlich erworbenen Erfolge ohne Alexanders Zutun gar nicht denkbar. Man könnte noch einen Schritt weitergehen und behaupten, dass Alexander als einer der wenigen Menschen kraft seiner selbst Geschichte gemacht habe.[262]

Erfolg als Chance und Krise

Im Volksmund heisst es auch «Erfolg beflügelt» und «Erfolg macht blind». Erfolg wird als Voraussetzung, Chance und Krise empfunden. Mehrere Phasen sind erkennbar: Zuerst schafft der Erfolg die Basis für Selbstvertrauen, Gefolgschaft der Unterstellten und somit für weitere Unternehmungen. Ohne Alexanders Erfolge in Thrakien wären ihm die Makedonier wohl kaum nach Asien gefolgt, und ohne den Sieg am Granikos wären die späteren Erfolge gegen Dareios schwer vorstellbar. Patton, Montgomery und Rommel wären ohne ihre militärischen Siege nicht als grosse Feldherrn in die Geschichte des 20. Jahrhunderts eingegangen. Möglich ist, dass die Erfolge erst später kommen, dass – wie das Beispiel von Feldmarschall Viscount Slim zeigt – zuerst bittere Niederlagen eingesteckt und ein Lernprozess durchgemacht werden müssen: «I had now an opportunity for a few days to sit down and think out what had happened during the last crowded months and why it had happened. The outstanding and incontrovertible fact was that we had taken a thorough beating. We, the Allies, had been outmanoeuvred, outfought, and outgeneralled. It was easy, of course, as it always is, to find excuses for failures, but excuses are no use for next time; what is wanted are causes and remedies.»[263] Slim bekam noch eine Chance und hatte später grossen Erfolg, aber nicht alle erhalten eine zweite Chance.

Letztlich führen nur Siege zum Erfolg. Die besten Planungen, Führungskonzepte und die allerbesten Absichten in der Menschenführung nützen nichts, wenn sich nicht Erfolge einstellen. Was zählt, ist der Erfolg. Früher oder später muss er eintreffen, im einen Fall früher, im andern später. Der (Fussball-)Trainer wird nach nur wenigen Spieltagen ohne Sieg ebenso entlassen wie der operative Führer einer Unternehmung, der im laufenden Geschäftsjahr keine Gewinne erwirtschaftet. Auch in der Armee geht es um Erfolge. Eine Befragung israelischer Soldaten hat ergeben, dass Führungskompetenz in eine enge Beziehung zum Erfolg im Gefecht gebracht wird.[264]

Durch Selbstgefälligkeit zum Misserfolg

In einer späteren Phase können infolge anhaltender Erfolge Selbstsicherheit, Gewinn, Ruhm, aber auch Missgunst und Neid wachsen. Der «Erfolgreiche» empfindet es zunehmend als Bürde, sich immer wieder bestätigen und anderen seine Stärke beweisen zu müssen. Das letzte Stadium kann bis zu Sättigung, Überfluss, Verblendung und letztlich Stillstand, Rückschritt und Niedergang führen. Eine logische Folge der verschiedenen Phasen besteht allerdings nicht.

Die Geschichte zeigt, dass Erfolg schnell zum Erfolgsrezept wird, eher passiv und selbstzufrieden macht und zu Trägheit im Denken und Handeln führt. Misserfolg dagegen spornt zu neuen, innovativen Lösungsansätzen an. Ein gutes Beispiel hierfür ist die Niederlage Frankreichs im Sommer 1940: Frankreichs Sieg im Ersten Weltkrieg führte zu militärischer Orthodoxie, die lineares Denken und den Bau der Maginot-Linie zur Folge hatte, moderne Ideen aber nicht aufkommen liess. Demgegenüber entwickelten die Verlierer des Ersten Weltkrieges, die Deutschen, mit der Panzerwaffe im Zusammenspiel mit Artillerie und Flieger eine neue, schlachtentscheidende operative Kampfdoktrin.

Analog verhält es sich mit Erfahrungen im Umgang mit grösseren Wirtschaftsunternehmen: Erfolg schafft eine Art von Marktdominanz und Wachstum. Nach einer Weile wird die Kontrolle der immer grösser werdenden Organisation zum vorrangigen Führungsproblem. Bürokratische Tendenzen und ein Überhang an Management kreieren eine übermässige Fokussierung auf das Innenleben der Unternehmung. Daraus können Selbstzufriedenheit, geschäftliche Arroganz und fehlende Lern- und Anpassungsfähigkeit resultieren.[265] Die Schweizer Uhrenindustrie ruhte sich so lange auf ihren Erfolgen aus bis sie von den Japanern überholt wurde; erst die Swatch brachte sie ins Geschäft zurück. Ähnlich erging es den westlichen Autoproduzenten, die bis in die achtziger Jahre in ihrem traditionellen Denken aus den fünfziger Jahren verankert blieben. Wang Laboratories, einst der leuchtende Stern am Himmel der PC-Branche, musste nach der Entlassung von 26 000 Mitarbeitern und Verlusten in Milliardenhöhe 1992 Konkurs anmelden, weil Wangs Visionen nicht überprüft und erneuert und nicht auf die Veränderungen des Marktes abgestimmt wurden.[266] Bob Palmer, Chairman und CEO der Digital Equipment, erklärte den Niedergang seines Unternehmens in der Mitte der achtziger Jahre wie folgt: «Wenn man sehr viel Erfolg hat, hält man sich für unheimlich clever und meint, dass man alles besser versteht … Dann verändert sich das Umfeld, und das Management will es nicht wahrhaben: ‹Am besten wir bleiben bei unserem Erfolgsrezept, wir müssen nur aggressiver sein.› Über Misserfolge wird nicht geredet, als könnten sie einfach nicht passieren. Aber weil sich Arroganz und Selbstzufriedenheit im Unternehmen eingeschlichen haben, wird genau das passieren. Es ist praktisch unvermeidbar. Auch uns ist es so gegangen.»[267] Bill Gates, der Begründer von Microsoft, sagte: «Erfolg ist ein miserabler Lehrmeister – er verführt kluge Menschen dazu zu denken, sie könnten nicht verlieren. Ich lehne es ab, mir dauernd selbst zu gratulieren. Das ist sinnlos. Je erfolgreicher ich werde, desto verwundbarer fühle ich mich … Wenn man etwas gut macht, dann erwarten die Leute, dass man das nächste Mal noch besser ist.»[268] Offenbar wird Bill Gates durch die Angst vor dem Misserfolg zu immer neuen Erfolgen getrieben. Er ist ehrgeizig und hat einen unstillbaren Hunger nach Erfolg. Misserfolg kann aufrütteln, zum Nachdenken und Lernen anregen. Der Erfolg von heute ist keinesfalls eine Garantie für den Erfolg von morgen. Es reicht nicht, die Dinge so zu machen, wie man sie schon immer gemacht hat.[269] Wer erfolgreich bleiben will, muss eine «gesunde Unzufriedenheit» besitzen, das heisst, er muss ständig unterwegs sein auf der Suche nach Verbesserungsmöglichkeiten und Alternativen; er muss sich und seine Organisation stets hinterfragen und Neues wagen.

Und wie verhält es sich mit unserer eigenen Vergangenheit? – Die Schweiz hat seit 1815 gute Erfahrungen mit der dauernden und bewaffneten Neutralität gemacht. Diese Strategie verhalf dem Kleinstaat Schweiz zum Erfolg, zum Überleben in zwei verheerenden Weltkriegen und zu grossem Wohlstand. Und heute? Besteht nicht die Gefahr, dass eine historisch orientierte Neutralität zu einem Dogma wird und ein Art von Maginot-Linie-Denken fördert, das den Blick auf die um uns im Gange befindliche politische Weiterentwicklung Europas trüben könnte? Der Kerngehalt der Neutralität bleibt sich gleich: Die Schweiz ergreift in bewaffneten Konflikten erst Partei, wenn sie selber angegriffen wird. So bewahrt sie sich als Kleinstaat die volle Handlungsfreiheit. Die Neutralität ist in der Ausgestaltung aber wandelbar. Vor allem bedeutet sie nicht Gesinnungsneutralität, sondern lässt eine Positionierung in ethischen und politischen Fragen zu. Zudem hindert sie uns nicht (mehr), Sanktionen der UNO gegen einen Aggressor wie Saddam Hussein zu unterstützen.

Erfolg ist, wie wir zum Teil bereits gesehen haben, nicht eine Konstante, sondern immer wieder neu zu erarbeiten. Der Erfolg von heute ist kein Rezept für den Erfolg von morgen. Auch Karrieren sind in der Regel nicht ein lineares Aufwärtsgehen. Erfolg hängt weitgehend ab von der Bereitschaft, sich ständig weiterzuentwickeln, zu lernen und Risiken einzugehen.

Voraussetzung ist ein gewisses Mass an Bescheidenheit und an Optimismus. Bescheidenheit als Gegenteil zu Selbstüberschätzung und Arroganz, und Bescheidenheit darin, dass nicht der Führende allein den Erfolg ausmacht. Die Mitarbeiter realisieren Erfolge; eine gute Führung hilft ihnen, ihr Potential zu optimieren, und schafft die günstigen Rahmenbedingungen für ihr Wirken.[270] Voraussetzung ist auch Bescheidenheit im Umgang mit Erfolg: «Die Lehrbücher der Strategie enthalten keine Vorschriften darüber, wie der Feldherr sich zu verhalten habe, wenn der Erfolg eintritt. Aber jedenfalls hat auch Alexander der Grosse nach einem Sieg immer zuerst den Göttern sein Dankopfer dargebracht.»[271]

Optimismus ist notwendig im Sinne einer positiven Einstellung und Grundhaltung sowohl gegenüber Herausforderungen wie bezüglich gefällter Entscheide, Optimismus als Glaube und Vertrauen, dass ein Ziel erreicht wird, wenn man sich mit aller Kraft einsetzt. Der Glaube an den Erfolg beflügelt. Pessimismus bewirkt das Gegenteil. Wie oft hört man doch von Trainer- oder Spielerpersönlichkeiten vor bedeutenden Wettkämpfen Sätze wie «Unser Gegner ist zurzeit sehr stark, er verfügt über die besseren Einzelspieler als wir …» oder «Wir hatten in letzter Zeit Probleme und sind deshalb mit einem Unentschieden zufrieden». In diesen Worten steckt der Keim der Niederlage. Der Misserfolg ist einkalkuliert. Nach dem Spiel wird es leichter fallen, die Niederlage zu rechtfertigen. «Der Fisch beginnt am Kopf zu stinken», sagt ein russisches Sprichwort: Im Kopf sitzt die Einstellung, welche Erfolg oder Misserfolg bereits frühzeitig determiniert. In der Politik ist es nicht anders. Es ist Aufgabe des Politikers, Mitarbeiter, Bürger und andere Politiker von einer Sache zu überzeugen. Dabei muss er selber von dieser Sache überzeugt sein, überzeugend sprechen können und an den Erfolg glauben. Ohne innere Überzeugung kann es keine glaubwürdige, auf andere Menschen positiv wirkende Überzeugungskraft geben, die Mehrheiten zu schaffen vermag.

Abraham Lincoln schuf als US-Präsident eine Atmosphäre, in der Unternehmergeist und Aufbruchstimmung herrschten, Faktoren, welche die Risikobereitschaft fördern. Er war überzeugt, dass mehr als nur ein Weg zum Erfolg führt. Fehlschläge waren unvermeidlich, aber Lincoln bewies in diesem Punkt grosse Toleranz gegenüber seinen Generälen. Zu General Grant sagte er: «Always glad to have your suggestions», und zu General Mc Clellan: «I say try, if we never try, we shall never succeed.» Lincoln betrachtete den Misserfolg seiner Generäle als eine Möglichkeit, aus Fehlern zu lernen und als einen Schritt in die richtige Richtung. Selten kritisierte er seine Unterstellten für eine Niederlage auf dem Schlachtfeld. Jedesmal reiste Lincoln an die Front und bot dem besiegten General seine volle Unterstützung an.[272]

Messbarkeit des Erfolgs?

Erfolg ist in der Regel messbar. Politiker gewinnen eine (Wieder-)Wahl oder eine Abstimmung. Unternehmer erwirtschaften Gewinne. Generäle siegen in der Schlacht oder im Krieg. Die Erfolglosen, die «Unglücklichen», werden abgewählt, entlassen oder ihrer Funktion enthoben.

Ist Erfolg immer messbar? Wie erfolgreich sind Politiker nach der Wahl? Sind es die Anzahl der Wortmeldungen oder der parlamentarischen Vorstösse im Parlament bzw. die Anzahl der gewonnenen Abstimmungskämpfe während einer Legislaturperiode? Zählen etwa die Auftritte in den Medien oder die von diesen regelmässig veröffentlichten «Ranglisten»? Wie misst der Stimmbürger die sich zur Wahl stellenden Kandidaten? Ist eine erfolgreiche Wiederwahl der einzige wahre Massstab für den Erfolg eines Politikers? Wie lässt sich der Erfolg von Generälen in Friedenszeiten messen? Sind Partei- und Kantonszugehörigkeit massgebend oder das reibungslose Sich-Eingliedern in die zwangsläufig dominante Administration einer Armee in Friedenszeiten?

Der «wirkliche» Erfolg

Der «wirkliche» Erfolg kann nicht ein kurzfristiger oder einmalig sein. Erfolg sollte, um als Erfolg bewertet zu werden, – wie uns die Lebensgeschichte Alexanders lehrt – von einer gewissen Dauer und Konstanz sein. Erfolg soll daran gemessen werden, ob er trotz zeitweisen Rückschlägen und Misserfolgen über mehrere Jahre und bei unterschiedlichen Verhältnissen immer wieder neu erarbeitet, erkämpft und manchmal auch erlitten wurde. Zum «wirklichen» Erfolg gehört untrennbar auch die ethische Komponente. Erfolg muss Sinn machen, nämlich die eigene Sinnfindung und die Sinnvermittlung an andere.[273] Dazu sind menschliche Tugenden erforderlich, beispielsweise Bescheidenheit, eine positive Grundeinstellung, Tüchtigkeit, Hartnäckigkeit, Mut zum Risiko sowie Respekt vor Umwelt, Mitarbeitern und Gesetzen, seien es geschriebene oder ungeschriebene. Kurzfristige Erfolge und Erfolge, die nur an äussern Massstäben gemessen werden, können auch Scharlatane, Spekulanten, Caudillos oder Glücksritter verbuchen. Zwischenzeitlich können auch jene Menschen erfolgreich sein, die sprichwörtlich «über Leichen gehen», die es an einer gesamtheitlichen, auch ethische Gesichtspunkte berücksichtigenden Beurteilung fehlen lassen. Zu «wirklichen» Erfolgen sind diese aber aufgrund ihrer fehlenden Tugenden nicht fähig. Weise handelt, – und das ist jedem für die Selektion von Führungskräften Verantwortlichen zu wünschen –, wer die einen von den andern unterscheiden kann.

> «Einmal erkundigte sich einer von Alexanders
> Freunden, ob er sich nicht in einem olympi-
> schen Wettlauf mit andern messen wolle,
> wo er doch so schnell laufe. Er antwortete ihm:
> ‹Ja, sofern ich mich mit Königen messen
> kann.›»[274]

Gibt es noch heroische oder pionierhafte Persönlichkeiten, wie
Alexander, und gibt es noch multifunktionale Führungskräfte?
Benötigen wir überhaupt noch Führer in Wirtschaft, Politik und
Armee? Wo steht heute eine Führungskraft? Wie kann sie sich le-
gitimieren und wo soll sie sich selber innerhalb der Gesellschaft
und einer Organisation situieren? Welches sind ihre ganz persönlichen Grenzen? Welche Grenzen setzen Gesellschaft, Umwelt und
eine verantwortungsbewusste Politik? – Diese Fragen versuchen
wir im letzten Kapitel zu beantworten.

Multifunktionalität der Führung?

Alexander selber bestimmte die Strategie und die nachfolgenden
Ziele. Er war der Motor, der Impulsgeber, der überall von vorne
führte und an vorderster Front kämpfte. Das schmälert die Verdienste seiner Freunde, Begleiter und Helfer sowie seiner Wegbe-
reiter, vor allem seines Vaters und Aristoteles, in keiner Weise, denn
ein Weltreich kann ein einzelner allein auf sich gestellt nicht er-

ringen. Die heroische Seele, die alles antreibende Kraft war aber Alexander. Er war König und Stratege, oberster Richter und Feldherr, dem es gelang, Makedonier, Perser und Mitglieder vieler anderer asiatischer Bevölkerungsgruppen zu immer neuen Zielen zu bewegen. Dank seinen Visionen und Taten entstand ein neues Reich, das nach seinem frühen Tod innert kurzer Zeit zwar wieder auseinanderbrach, das aber den Aufschwung der Wirtschaft, der Wissenschaften und der hellenistischen Kultur herbeiführte und die Verbreitung des Christentums ermöglichte.

Alexanders strategische Fähigkeiten und sein beispielhaftes Führungsverhalten in Krisen und im Kampf verdienen auch heute noch grösste Anerkennung. Persönlichkeit und Charakter Alexanders waren jedoch vielschichtig. Viele Eigenschaften bewundern wir, anderen hingegen, so zum Beispiel seinem «vulkanischen Temperament» und daraus sich ergebenden Willkürakten,[275] begegnet man nicht erst heute mit Ablehnung. Im Altertum war neben der Alexander-Nachahmung von Scipio Africanus, Pompejus, Caesar und Antonius auch ein ungünstiges Alexander-Bild spürbar, das ihn als Despoten und Tyrannen schilderte.[276] Weiter gilt es zu bedenken, dass Alexanders Idee der Völkerverschmelzung Utopie blieb. Weder seine makedonischen Freunde noch die Perser oder andere Stämme konnten sich für diese revolutionäre Vorstellung erwärmen. Die Macht und das Prestige Alexanders haben diese Idee getragen und in Ansätzen verwirklicht. Niemand hat sie nach seinem Tod weitergeführt. Dasselbe gilt für die Pläne, Arabien zu umsegeln und so endgültig die Weltherrschaft – nach damaligem Kenntnisstand – zu erringen.

Sind die Grenzen der heroischen Führungspersönlichkeit bereits im Altertum sichtbar gemacht worden, so macht es uns heute noch grössere Mühe, eine Berechtigung für heroische Gestalten à la Alexander in Politik, Wirtschaft und Armee zu finden. Ja, wir gehen noch weiter und müssen feststellen, dass nicht nur der heroischen oder pionierhaften Führungskraft, sondern jedem Führenden immer deutlichere Grenzen gesteckt sind.

Staatsmann, Unternehmer und militärischer Führer sind drei voneinander verschiedene Persönlichkeiten. Der normale Mensch wäre überfordert, müsste er die politisch relevanten Geschäfte alleine tun, und auch der geniale oder der heroische Mensch könnte nicht alle Fakten und Daten sammeln, diese verarbeiten und zum Wohle der Regierten in Normen und Verhaltensrichtlinien umwandeln. Der hochentwickelte Grad an Technisierung und Spezialisierung unseres Lebens verunmöglichen schlicht eine auf eine Einzelperson zugeschnittene Regierungsform wie wir sie von Alexander bis in die Neuzeit kennen. Das Regieren in unserem demokratischen Rechtsstaat ist zu einem vielschichtigen, komplizierten Handeln geworden: Es geht um Meinungsbildung, erklären, überzeugen, verhandeln, Kompromisse eingehen, repräsentieren, Weisungen und Befehle erteilen, delegieren, nach- und vordenken, kontrollieren, steuern, usw. Regieren heisst Aufgaben und Verantwortlichkeiten teilen, andere teilhaben und mitwirken lassen, mit dem Ziel, nicht einzelnen, sondern der Gesamtheit der Regierten zu Arbeit, Wohlstand und Sicherheit in Frieden zu verhelfen. Für diese Wertvorstellungen lohnt es sich einzustehen.

Menschen haben seit jeher zusammengearbeitet. Doch mit der Zunahme von «Wissensarbeitern», das heisst hochspezialisierten Fachleuten, und der daraus resultierenden Konsequenz, ihre Tätigkeiten koordinieren zu müssen, wird das Individuum immer mehr vom Team als Arbeitseinheit abgelöst.[277] Forschung und Wissenschaft sind derart spezialisiert und die Informationen derart zahlreich und unüberschaubar, dass nur die Arbeit im Team erfolgversprechend ist. Diese Teams stehen in wechselseitigem Kontakt mit anderen Teams innerhalb und ausserhalb ihrer eigenen Organisation. An Besprechungen, in Telekonferenzen, Seminarien oder mittels Publikationen und E-Mail werden Informationen ausgetauscht, Ergebnisse verglichen und diskutiert. Der «einsame Tüftler» ist nicht ganz ausgestorben, doch sein Erfolg hängt heute davon ab, ob er Mitglied eines global vernetzten Teams ist, das untereinander kommuniziert.

Moderne, weltweit tätige Unternehmen sind so spezialisiert und diversifiziert, dass sie nicht mehr allein von einem Individuum, sondern von mehreren Verantwortungsträgern auf mehreren Managementebenen, welche untereinander Daten austauschen und kommunizieren, geführt werden müssen. Nicht mehr ein «Pate» oder «Tai-Pan», um dessen Nachfolge – wie nach Alexanders Tod – unweigerlich Diadochenkämpfe ausbrechen würden, sondern Führungskoalitionen sind verantwortlich für Effizienz, Effektivität und Legitimität einer Unternehmung. Teamwork ist erforderlich, um ein Unternehmen zu einer intelligenten Organisation zu machen, die fähig ist, sich selber anzupassen, aktiv ihr Umfeld zu beeinflussen und Visionen für eine neue Ausrichtung zu entwickeln und erfolgreich umzusetzen.[278]

Im Verständnis des Altertums waren König und Feldherr ein und dieselbe Person. Die damalige Kriegführung, insbesondere die zur Verfügung stehenden Waffen und Techniken, die Aufstellung der Armeen zur Schlacht und die Überblickbarkeit der Schlachtenordnung, erlaubten und erforderten geradezu das beispielhafte Vorgehen des obersten Chefs. Wer, wie Alexander, in der ersten Reihe mutig mitkämpfte, war meistens erfolgreicher als der ängstliche, hinten stehende König, wie Dareios in den Schlachten bei Issos und Gaugamela.

Das Beispiel des militärischen Führers ist auch im modernen konventionellen Kampf von zentraler Bedeutung, reduziert sich aber im Gefecht grundsätzlich auf den Führer des kleinen Verbandes, das heisst die Stufen Zug, Kompanie und eventuell noch Bataillon. Zwar können die höheren taktischen und die operativen Führer im Helikopter vorübergehend in Schwergewichtsabschnitten auftauchen, sich ein persönliches Bild der Lage machen und mit vereinzelten Unterführern sprechen und diese ermuntern, was sich positiv auf eine Aktion auswirken kann. Heroische Taten werden von ihnen aber weder erwartet noch erhofft. Auch die Soldaten wissen, dass die höhere Führung andere Aufgaben erfüllen muss als das persönliche Vorangehen im unmittelbaren Gefecht.

Die Fortschritte der Informations- und Kommunikationstechnologie haben im Verlaufe des 20. Jahrhunderts ausser der Dynamisierung der Kampfführung auch «Fallen» gelegt. Einmal werden militärische Führer – dasselbe gilt auch für Führer in Wirtschaft und Politik – von Daten und Informationen überhäuft und bekunden verständlicherweise Mühe, das Wesentliche von Unwesentlichem zu trennen und die richtigen Entscheide zur richtigen Zeit zu fassen. Zum andern verleiten weitreichende und abhörsichere Sprechfunkgeräte höhere militärische Führer, ja sogar politische Verantwortungsträger, zu direkter Einflussnahme am Brennpunkt des Geschehens.[279] Solche Interventionen führen – wie Erfahrungen im Vietnamkrieg belegen – kaum je zu besseren Resultaten, im Gegenteil, sie verwischen Verantwortlichkeiten und lähmen die Ausführenden. Sie gefährden auch den bewährten Grundsatz, wonach die dazu legitimierten Politiker die Vorgaben und strategischen Ziele erlassen, die höheren militärischen Führer den Mitteleinsatz und das operative Konzept erarbeiten und die Taktiker das Gefecht führen. Verantwortliche Chefs der oberen Ebenen sollen sich durchaus um die Truppe sorgen und vor Ort und vor dem Einsatz zu ihren «Jungs» schauen und deren (Kampf-)Motivation positiv beeinflussen. Im übrigen gilt jedoch, dass jedermann auf der ihm zugewiesenen Organisationsebene und in seiner speziellen Funktion seine Aufgabe zu erfüllen hat: «Let people do their job!»

Leader und Team

Was bedeutet das? Zählt nur noch das Team, nur noch die Gemeinschaft? – Nein, nach wie vor benötigen wir intelligente, energische Individuen und Schlüsselfiguren, die über die Abwicklung der Tagesgeschäfte hinaus die Zukunft von Teams und Organisationen wegweisend bestimmen können und wollen. Es muss und wird weiterhin Pioniere geben, vermutlich nur einige wenige pro Generation und Fachbereich, welche die nötigen Visionen und den «drive» besitzen, andere Menschen, ihr Team und ihre Organisation, für diese Idee oder Erkenntnis zu bewegen. Für die Konsolidierungs- und Ausbauphase braucht es weitere starke Persönlichkeiten. Die Wirklichkeit und der ständige, rasante Wandel in fast allen Lebensbereichen führen zwar zu einer zunehmenden Komplexität sowie zu einer Zunahme von Entscheidungsmöglichkeiten. Komplexität und Vielfalt sind aber auch eine Frage der Wahrnehmung. Moderne Führungskräfte sind in der Lage, auch bei komplexen Verhältnissen und tausend Details, das Wesentliche, den Kern der Sache, zu erkennen beziehungsweise sich aufarbeiten zu lassen und überzeugend zu kommunizieren: Vereinfachung durch Verwesentlichung.

Führungskräfte sind Lokomotiven. Sie schweissen Teams zusammen, indem sie mitarbeiten und auf Ergebnisse hinwirken. Teambildung bedeutet Informationen und Sachinteresse vermitteln, Zielentwürfe liefern, Lust auf lohnende Risiken wecken sowie Furcht, Aggression und Stress abbauen.[280]

Teambildung benötigt Zeit. Nur so kann Vertrauen zwischen der Führungskraft und der Gruppe wachsen. Die Geführten müssen erleben, dass der Chef das täglich vorlebt, was er sagt. General Franks spricht noch heute mit Respekt von seinem Bataillonskommandanten in Vietnam: «He believed in tight discipline and technical competence. But he also liked to stay out with frontline troops, working with them and sharing their hardships. And Brookshire liked to communicate with his subordinates. He liked to talk with them, to ask and take their opinions. He was a master at creating and building teamwork in a combat unit.»[281] In Unternehmen ist das nicht viel anders, denn Visionen, Strategien und Ziele benötigen die emotionale Billigung der gesamten Organisation, die durch das persönliche Engagement der Führung und durch Dialog und Konsensbildung zu Stande gebracht wird.[282]

Die erfolgreiche Bewältigung der Zukunft benötigt beide, Führungskraft und Team. Chef und Mitarbeiter müssen einerseits jeder in seinem Verantwortungsbereich und andererseits miteinander, in Teams und Koalitionen, aus Erfahrungen lernen, neue Herausforderungen angehen, Risiken eingehen und handeln. Es geht letztlich auch um die Legitimation von Führungskräften, um das Wissen um die Bedeutung der Funktion des Führenden: «Ich höre sehr viel zu», erklärt Helmut Maucher, «aber ich treffe die letzten Entscheidungen. Ich bin für ein Team mit Spitze, und nicht für ein Team als Spitze.»[283]

Sinn der Führung

«Alles schreit nach Führung, aber wehe wenn es sie gibt!» Diese Haltung ist kontraproduktiv. Wir benötigen das offene Eingeständnis, dass wir in allen wichtigen Lebensbereichen Führungskräfte brauchen. Für eine prosperierende Zukunft ist es von Vorteil, die in der Verantwortung stehenden Persönlichkeiten kritisch-engagiert zu akzeptieren, anstatt ihre Autorität generell und dauernd in der Öffentlichkeit zu untergraben.[284]

Wir können sogar noch einen Schritt weitergehen und Führung als die wichtigste gesellschaftliche Funktion bezeichnen. Fast unser ganzes Leben hängt von Qualität und Kompetenz der Führung ab: Gesundheit, Sicherheit, Wohlstand, Bildung und die Frage nach dem Sinn des Lebens. Jede Organisation und jede Gesellschaft braucht für die erfolgreiche und sinnvolle Bewältigung der anstehenden Probleme eine grosse Zahl kompetenter, verantwortungsbewusster und wirksamer Führungskräfte.[285]

Grenzen der Führung

Dies führt uns zur Frage nach den Grenzen der Führung schlechthin.[286] Die Grenzen liegen erstens im Menschen selbst: Ein einzelner kann nicht alles erreichen, auch bei noch so «alexandrinischen» Fähigkeiten bleibt er ein Mensch, der sich irren und fehlen kann und der sterblich ist. Kein Chef ist omnipotent. Auch die Zeit jedes Führenden ist einmal um. Es ist deshalb müssig zu fragen, was er hinterlassen hat. Wir fragen auch nicht, wieso die Nachkommen von Einstein, Picasso oder Mozart das Erbe ihrer Väter nicht weitergeführt haben. Führung ist etwas Einmaliges, weil es mit dem Leben und Wirken von einzelnen Menschen verknüpft ist. Zweitens hängt Führung nicht allein von Menschen, sondern von politischen, wirtschaftlichen, kulturellen und gesellschaftlichen Rahmenbedingungen ab. Es gibt Situationen, in denen Menschen alles geben und doch keinen Führungserfolg haben. Es sind die Grenzen des menschlichen «can do». In ihrer Biographie über General Stillwell und dessen Scheitern in China gegen Ende des Zweiten Weltkrieges schreibt die amerikanische Historikerin Barbara Tuchman: «In great things, wrote Erasmus, it is enough to have tried. Stillwell's mission was America's supreme try in China. He made the maximum effort because his temperament permitted no less; he never slackened and he never gave up. Yet the mission failed in its ultimate purpose because the goal was unachievable.»[287] Drittens ist Führung keine exakte Wissenschaft, sondern eher eine Kunst, die sich weitgehend der Messbarkeit entzieht. Hinzu kommen Grenzen, die in der Moderne, notabene von Menschenhand, geschaffen wurden: Wir denken an die Möglichkeit der globalen Zerstörung durch atomare Waffen oder durch verantwortungsloses Umgehen mit der Umwelt.

Ganzheitliche Führungspersönlichkeiten sind in der Lage, ihre eigenen und die von den Rahmenbedingungen diktierten Grenzen zu erkennen. Ein aus eigenem Antrieb zurückgetretener Präsident eines internationalen Konzerns erklärte: «Wer Sophokles, Euripides und Shakespeare liest, der weiss, … zu lange an der Macht, und man verliert das Gespür für die Wirklichkeit. Wer zuviel Macht hat, den bringt sie zu Fall.»[288]

Perspektiven

Unsere Zeit schafft nicht nur neue Grenzen, sondern reisst auch alte auf und öffnet neue Perspektiven: Die bi-polare Welt des Kalten Krieges ist einer Welt der Vielfalt gewichen. Es sind nicht nur neue Staaten entstanden, es wachsen vielmehr neue wirtschaftliche und politische Strukturen und internationale Gebilde, welche die ehemaligen starren nationalen Grenzen aufweichen und allmählich sogar verschwinden lassen. Hier liegen neue Herausforderungen und Chancen für eine Vielzahl von Führungskräften.

Was hat uns Alexander zu sagen? Welche Perspektiven eröffnet er uns heute? Wenn wir ehrlich sind, so möchte jeder ein wenig ein Alexander sein, oder nicht? Die Faszination ist nicht neu, sie hat viele Menschen in den dazwischen liegenden Jahrhunderten angesteckt.

Wir beneiden Alexander vor allem um

- sein Leben in der Aktion und immer auf der Höhe des Geschehens, seine Kompetenz und sein Beispiel;
- seine Fähigkeit, jedes neue Problem unvoreingenommen anzunehmen und mit den adäquaten Mitteln zu lösen;
- seinen Drang nach Neuem, sein Verlangen, nichts unversucht zu lassen und stets neue Mittel und Wege zur Überwindung von Schwierigkeiten zu finden;
- seinen Führungsanspruch, seine Fähigkeit, andere zu inspirieren und mitzureissen;
- sein strategisches Genie, die geniale Konzeption seines Zuges um die halbe Welt;
- seine Vision des gleichberechtigten Nebeneinanders von Kulturen, eine Vision (und Illusion?), die auch über 2000 Jahre später nichts von ihrem Glanz verloren hat.

Anmerkungen

1 Zitat nach dem dtv Brockhaus Lexikon, Ausgabe 1982
2 Vgl. Malik, S. 238
3 Arrian, S. 99
4 a.a.O., S. 101
5 Vgl. Krause, S. 134 ff.
6 Vgl. Dunnigan / Masterson, S. 163 f.; vgl. Powell, S. 475 f.
7 Vgl. Capelle, S. 10
8 Arrian, S. 307
9 Vgl. Dunnigan / Masterson, S. 21
10 Krause, S. 142 ff.
11 Zit. nach Hendricks, S. 24
12 Vgl. Gardner, S. 293
13 Vgl. Lay, S. 239
14 Arrian, S. 142
15 Vgl. a.a.O., S. 129
16 Vgl. a.a.O., S. 98
17 Vgl. a.a.O., S. 142 ff.
18 Vgl. Capelle, S. 63
19 Clancy / Franks, S. 31
20 Vgl. Kotter, Matsushita, S. 94 f.
21 Zit. nach Hendricks / Ludeman, S. 17
22 Arrian, S. 400
23 Zit. nach Böning, S. 320
24 Vgl. Tschirky / Suter, S. 100
25 Vgl. Hendricks / Ludeman, S. 71
26 Vgl. Mainelli, S. 121
27 Vgl. Simon, S. 234
28 Vgl. Kotter, Matsushita, S. 187
29 Vgl. Gardner, S. 254
30 Soland, S. 66
31 Vgl. Bechtler, vor allem S. 29 ff.; vgl. Böning, S. 295 ff.;
   vgl. White / Hodgson / Crainer, S. 249 ff.
32 Arrian, S. 305 f.
33 Vgl. Lauffer, Alexander, S. 207; vgl. auch Kap. 1
34 Vgl. zu dieser Unterscheidung weiter unten das Kapitel
   über strategisches Denken.
35 Vgl. Kotter, Matsushita, S. 115, S. 118 f., S. 212 f., S. 227

36 Arrian, S. 304 f.

37 a.a.O., S. 372

38 Vgl. Gardner, S. 260

39 Arrian, S. 351 f.

40 Arrian, S. 89

41 Vgl. Keegan, S. 47 ff.

42 Vgl. Gardner, S. 39; vgl. Höhler, S. 201 ff.

43 Vgl. Powell, S. 426

44 Vgl. Farkas / De Backer / Bain & Company, S. 167 ff.

45 Vgl. Lay, S. 262; vgl. auch S. 253 ff.

46 Vgl. Kotter, Leading Change, S. 25 ff.

47 Vgl. Malik S. 237

48 Arrian, S. 362 f.

49 Vgl. Arrian, S. 228 ff.

50 Vgl. Arrian, S. 256, 295, 392

51 Vgl. a.a.O., S. 374

52 Vgl. a.a.O., S. 365 ff.

53 Vgl. a.a.O., S. 261

54 Vgl. a.a.O., S. 294 ff.

55 Vgl. a.a.O., S. 312

56 Vgl. a.a.O., S. 392

57 Vgl. a.a.O., S. 258

58 Vgl. Bengtson, S. 212 ff.

59 Vgl. Hammond, S. 187

60 Vgl. White / Hodgson / Crainer, S. 54

61 Vgl. Dunnigan / Masterson, S. 10 ff.

62 Vgl. Gardner, S. 268 ff.

63 Arrian, S. 382

64 Vgl. Arrian, S. 388

65 Vgl. Arrian, S. 72 f.

66 Vgl. Arrian, S. 218

67 Vgl. Arrian, S. 304

68 Vgl. Arrian, S. 358

69 Vgl. Arrian, S. 388

70 Vgl. Arrian, S. 263

71 Vgl. Arrian, S. 271

72 Vgl. Arrian, S. 171 f.

73 Vgl. Lauffer, Alexander, S. 203

74 Vgl. White / Hodgson / Crainer, S. 214; vgl. Simon, S. 232

75   Vgl. Chandler, S. 374

76   Vgl. Gardner, S. 237 f.

77   Vgl. Kotter, Matsushita

78   Vgl. White/Hodgson/Crainer, S. 214 ff.

79   Zit. nach Hendricks/Ludeman, S. 39

80   Vgl. White/Hodgson/Crainer, S. 218 ff.; vgl. Hendricks/
     Ludemann, S. 38 f.

81   Arrian, S. 68

82   Arrian, S. 105 f.

83   Arrian, S. 152

84   Vgl. Arrian, S. 341

85   Fuller S. 292

86   Bamm, Peter, S. 333

87   Vgl. Kotter, Matsushita, S. 176

88   Vgl. Simon, S. 230; vgl. White/Hodgson/Crainer, S. 244 ff.

89   Vgl. White/Hodgson/Crainer, S. 242

90   Vgl. Cordingley, S. 253

91   Arrian, S. 73

92   Plutarch, Heldenleben, S. 118 f.

93   Vgl. Arrian, S. 165 f.

94   a.a.O., S. 187

95   a.a.O., S. 259

96   a.a.O., S. 282

97   a.a.O., S. 221

98   a.a.O., S. 319

99   Vgl. Bevin Alexander, insbesondere S. 299 ff.

100 Vgl. Friedman, S. 220 ff.

101 Vgl. J. Lee Ready, S. 282 ff.

102 Vgl. Kotter, Matsushita, S. 183

103 a.a.O., S. 76 ff.

104 Vgl. White/Hodgson/Crainer, S. 273 ff.

105 a.a.O., S. 133 f.

106 Farkas/De Backer/Bain & Company, S. 48

107 Vgl. a.a.O., S. 52 f.

108 Vgl. a.a.O., S. 268

109 Höhler, S. 73 und S. 187

110 Arrian, S. 125 ff.

111 Vgl. Zwygart, Menschenführung, S. 56 f.

112 Vgl. Dönhoff, Zivilisiert den Kapitalismus, S. 160

113 Vgl. Kotter, Matsushita

114 Vgl. Farkas/De Backer/Bain & Company, S. 30

115 Vgl. Hendricks/Ludeman, S. 184

116 Clancy/Franks, S. 71

117 Vgl. White/Hodgson/Crainer, S. 207

118 Vgl. a.a.O., S. 144

119 Vgl. a.a.O., S. 209

120 Arrian, übersetzt von Wille, Fritz, S. 241

121 Vgl. Lauffer, Alexander, S. 198 f.; vgl. auch O'Brien, John

122 Vgl. Arrian, S. 180 ff.

123 Vgl. Lauffer, Alexander, S. 202

124 Zit. nach Wille, Fritz, S. 193

125 Vgl. Arrian, S. 240

126 Vgl. Gardner, S. 36; vgl. White/Hodgson/Crainer, S. 59

127 Zit. nach Csikszentmihalyi, S. 198

128 Höhler, S. 322 f.

129 Zit. nach Hendricks/Ludeman, S. 167

130 Vgl. Tuchman, The Guns, S. 463

131 Vgl. Hart, Liddell B., S. 298 f.

132 Zit. nach Krockow von, S. 202 f.

133 Arrian, S. 181

134 Vgl. Arrian, S. 185

135 Vgl. Lauffer, Alexander, S. 210

136 Vgl. Arrian, S. 226 f.

137 Vgl. dazu Fritz Wille

138 Vgl. Stoner/Freeman/Gilbert, S. 298 ff.; Oetting, S. 333 f.

139 Uhle-Wettler, S. 430

140 Vgl. Renaud-Coulon, S. 168

141 Vgl. Uhle-Wettler, S. 430

142 Zit. nach Farkas/De Backer/Bain & Company, S. 87

143 Vgl. Renaud Coulon, S. 170 ff.

144 Zit. nach Böning, S. 197

145 Vgl. Phillips, S. 151

146 Zit. nach Oetting, S. 106

147 Vgl. Fuller, Grant and Lee, S. 73

148 Vgl. Zwygart, Menschenführung, S. 79

149 Vgl. Oetting, S. 125

150 Vgl. Wille, Ulrich, S. 260

151 Clancy/Franks, S. 103

152 Vgl. Stoner/Freeman/Gilbert, S. 355 ff.; vgl. Blake/Mouton, S. 200

153 Vgl. Dubs, S. 55; vgl. Hammer/Champy, S. 70 f.; Waterman, Robert, S. 37 ff

154   Vgl. Stoner/Freeman/Gilbert, S. 160 f., S. 170 f.; vgl. Hammer/Champy, S. 53, S. 70 f. und S. 95 f. Das sog. Reengineering der Unternehmung und das «Intrapreneurship»-Konzept beruhen weitgehend auf denselben Grundsätzen.

155 Farkas/De Backer/Bain & Company, S. 85

156 Vgl. a.a.O., S. 76

157 Arrian, zit. nach Wille, Fritz, S. 241

158 Keegan, S. 88; Fuller S. 280; Bamm, S. 175, 234

159 Vgl. Lauffer, in Erlebte Antike, S. 198 ff., Dunnigan/Masterson, S. 20 und 22, Lanning, S. 17

160 Vgl. Arrian, S. 102 f. und 105 f., Keegan, S. 41 f., Fuller, The Generalship, S. 288 f.

161 Vgl. Charnay, S. 3 ff., Stahel, S. 1 ff.

162 Vgl. Reglement 52.54 d der Schweizerischen Armee «Führung und Stabsorganisation», gültig ab 1.1.1995, S. 4

163 Vgl. Garratt, S. 1 ff.

164 Die Bedeutung der normativen Führung nimmt auf tieferen Stufen der Organisationshierarchie zugunsten der operativen Führung ab, weil das praktische Handeln auf den tieferen Stufen in den Vordergrund tritt.

165 Vgl. Zu den strategischen Ebenen Charnay, S. 40 ff.

166 Vgl. dazu das Werk von Dixit und Nalebuff

167 Vgl. Mintzberg, S. 26 f.

168 Vgl. Mintzberg, S. 240

169 Vgl. Charnay, S. 11 ff. und insbesondere S. 17 ff.

170 Vgl. a.a.O., S. 23

171 Vgl. a.a.O., S. 26 ff.

172 Vgl. Schönpflug, S. 182

173 Vgl. a.a.O., S. 185 ff.

174 Vgl. Charnay, S. 33

175 Vgl. a.a.O., S. 33 f.

176 Vgl. a.a.O., S. 34; Oerter/Montada, S. 591

177 Vgl. Schönpflug, S. 198 ff., insbesondere 202 f.

178 Vgl. Oerter/Montada, S. 591

179 Vgl. Schönpflug, S. 206 ff., und Hilgrad's, S. 306 f.

180 Vgl. Hilgrad's, S. 307

181 Vgl. Charnay, S. 34 f.

182 Vgl. Keegan, S. 325 f.

183 Vgl. Tricker, S. 29. Vgl. auch Charnay, S. 42 f.

184 Vgl. van der Heijden, S. vii f. Und 23 ff.

185 Vgl. Mintzberg, in Developing Strategic Thought, S. 79

186 Vgl. Mintzberg, S. 329

187 Vgl. a.a.O., S. 328

188 Vgl. Schönpflug, S. 158 ff., und Hilgard's, S. 296 ff.

189 Vgl. Knox, S. 616

190 Vgl. Murray und Grimsley, S. 2 f., Herwig, S. 274 und Knox, S. 616

191 Vgl. Fuller, The Generalship, S. 294

192 Vgl. Mintzberg, S. 318 ff. und 325 ff.

193 Vgl. Knox, S. 615

194 Vgl. Mintzberg, S. 272

195 Vgl. Garratt, S. 301 ff.

196 Vgl. Hussey, S. 10

197 Vgl. Mintzberg, S. 270

198 Vgl. Price Waterhouse Change Integration Team, S. 267

199 Vgl. van der Heijde, S. 183 ff.

200 Vgl. Murray und Grimsley, S. 1

201 Vgl. Tricker, S. 28 f.

202 Vgl. Garratt, S. 3

203 Vgl. Schönpflug, S. 257 f.

204 Vgl. a.a.O., S. 283 ff.

205 Vgl. das instruktive Beispiel preussisch-deutscher Strategie vor dem Ersten Weltkrieg, dargestellt und analysiert durch Holger H. Herwig, S. 242 ff.

206 Vgl. Gardner, S. 36 und 289, und Garratt, S. 10

207 Vgl. Gardner, S. 301, und Mintzberg, S. 329

208 Vgl. Mintzberg, S. 257 ff.

209 Vgl. Sworder, S. 87

210 Vgl. Musashi, S. 70 und 73 (To «Become» the Enemy). Vgl. auch Garibaldi, S. 369, und Tricker, S. 28

211 Vgl. Sworder, S. 91, und Schönpflug, S. 280 und 287

212 Vgl. Mintzberg, in Developing Strategic Thought, S. 80 f.

213 Vgl. Mintzberg, S. 256 f.

214 Vgl. Mintzberg, S. 292 f.

215 Vgl. Mintzberg, in Developing Strategic Thought, S. 82 f.

216 Vgl. Murphy, S. 160 f.

217 Vgl. Knox, S. 645

218 Vgl. Fuller, The Generalship, S. 297

219 Vgl. Carl von Clausewitz, S. 144

220 Vgl. Kagan, S. 46

221 Vgl. Murray, S. 398 f. und S. 645

222 Vgl. Murphy, S. 156 f.

223 Vgl. Yukl, S. 233 f.

224 Dieser Satz stammt aus den Digesten, einem Teil des Corpus Iuris
     Civilis, der von Kaiser Justinian 1. im 6. Jahrundert n. Chr. zusammen-
     gestellten Sammlung römischen Rechts.

225 Vgl. Yukl, S. 234 f.

226 Vgl. Malik, S. 165

227 Vgl. Murray, S. 399, und Yukl, S. 236 f.

228 Gegenteiliger Ansicht Hanford, S. 192

229 Plutarch, zit. nach Wille, Fritz, S. 157

230 Vgl. Arrian bei Wille, Fritz, S. 241 f.

231 Vgl. Maslowsky, S. 238

232 Vgl. a.a.O., S. 238

233 Arrian, S. 180 f.

234 Vgl. Goleman, S. 193

235 Vgl. Arrian, S. 182

236 Vgl. a.a.O., S. 197

237 Vgl. a.a.O., S. 164 f.

238 Vgl. a.a.O., S. 222 f.

239 Vgl. a.a.O., S. 386

240 Vgl. a.a.O., S. 307 ff.

241 Vgl. Gardner, S. 148 ff.

242 Vgl. a.a.O., S. 253

243 Duffy, S. 474

244 Vgl. Dönhoff, Um der Ehre willen;
     Vgl. Zwygart, How Much Obedience

245 Vgl. Goleman, S. 197

246 Vgl. Farkas/De Backer/Bain & Company, S. 93

247 Vgl. a.a.O., S. 176

248 Vgl. Hendricks/Ludeman, S. 160 f.

249 Sullivan/Harper, S. 189 ff.

250 Vgl. a.a.O., S. 66

251 Vgl. Steiger, S. 71 ff.

252 Vgl. Phillips, S. 138

253 Zit. nach Gross, S. 259; vgl. auch Lay, S. 239

254 Vgl. White/Hodgson/Crainer, S. 134

255 Vgl. Kotter, Matsushita, S. 191

256 Arrian, S. 250

257 Arrian, S. 368

258 Vgl. Lauffer, Alexander, S. 204

259 Vgl. Bengtson, S. 247

260 Vgl. Chandler, S. xlv

261 Vgl. Gardner, S. 153

262 Vgl. Schur, S. 87 f.

263 Slim, S. 115

264 Vgl. Zwygart, Menschenführung, S. 41

265 Vgl. Kotter, Leading Change, S. 27

266 Vgl. Farkas/De Backer/Bain & Company, S. 226

267 Zit. a.a.O., S. 240

268 Zit. nach White/Hodgson/Crainer, S. 114 und S. 166

269 Vgl. a.a.O., S. 69, 89, 148

270 Vgl. Kotter, Matsushita, S. 217; vgl. Höhler, S. 307

271 Vgl. Bamm, Peter, S. 249

272 Phillips, S. 137 f.

273 Vgl. Tschirky/Suter, S. 242 ff.

274 Plutarch zit. nach Wille, Fritz, S. 157

275 Bengtson, S. 236

276 a.a.O., S. 239

277 Vgl. Goleman, S. 204 f.

278 Vgl. Kotter, Leading Change

279 Vgl. Sheffield, S. 8

280 Vgl. Höhler, S. 26

281 Clancy/Franks, S. 48

282 Vgl. Farkas/De Backer/Bain & Company, S. 310

283 Vgl. a.a.O., S. 33

284 Vgl. Gardner, S. 305

285 Vgl. Malik S. 79 ff.

286 Vgl. a.a.O., S. 298 ff.

287 Tuchman, Stilwell, S. 678

288 Zit. nach Farkas/De Backer/Bain & Company, S. 88

Literaturverzeichnis

Alexander, Bevin, How Great Generals Win,
W. W. Norton & Company, New York/London 1993

Arrian, Alexanders des Grossen Siegeszug durch Asien,
Artemis Verlag Zürich, 1950

Bamm, Peter, Alexander oder die Verwandlung der Welt,
Droemersche Verlagsanstalt, Zürich 1965

Bechtler, Thomas W. (Hrsg.), Management und Intuition,
Verlag Moderne Industrie, Zürich 1989

Bengtson, Hermann, Philipp und Alexander der Grosse,
Diederichs Verlag, München 1997

Blake, Robert/Mouton, Jane, Besser führen mit GRID,
Düsseldorf/Wien/New York/Moskau 1994

Böning, Uwe, Exzellent führen,
Rudolf Haufe Verlag, Freiburg im Breisgau, 1989

Capelle, Wilhelm, Einleitung zum Werk Arrians, S. 7–64,
Artemis Verlag, Zürich 1950

Chandler, David G., The Campaigns of Napoleon,
Macmillan Publishing Company, New York 1966

Charnay, Jean-Paul, La Stratégie,
Presse Universitaires de France, Paris 1995

Clancy, Tom/Franks, Fred, Into the Storm: A Study in Command,
G. P. Putnam's Sons, New York 1997

Cordingley, Patrick, In the Eye of the Storm,
Hodder & Stoughton, London 1996

Clausewitz, Carl von, Vom Kriege,
Rowohlt Taschenbuch Verlag, Reinbek bei Hamburg 1963

Csikszentmihalhyi, Mihaly, Kreativität. Wie Sie das Unmögliche
schaffen und Ihre Grenzen überwinden,
Klett-Cotta, Stuttgart 1997

Dixit, Avinash K, und Nalebuff, Barry J., Thinking Strategically,
W. W. Norton & Company, New York/London 1991

Dodge, Theodore Ayrault, Alexander,
Greenhill Books/Stackpole Books, London/Pennsylvania
1994

Dönhoff, Marion Gräfin, Um der Ehre willen,
    Erinnerungen an die Freunde vom 20. Juli,
    Siedler Verlag, Berlin 1994
Dönhoff, Marion Gräfin, Zivilisiert den Kapitalismus –
    Grenzen der Freiheit,
    Deutsche Verlags-Anstalt, Stuttgart 1997
Dubs, Rolf, Militärische und Zivile Führung,
    in: Kaderschmiede-Kaderschule, Von der Eidgenössischen
    Central-Militärschule zu den Stabs- und Kommandanten-
    schulen in Luzern, Bern 1994
Duffy, Christopher, Friedrich der Grosse, ein Soldatenleben,
    Benziger Verlag, Zürich 1991
Dunnigan, James / Masterson, Daniel, The Way of the Warrior,
    Business Tactics and Techniques from History's Twelve
    Greatest Generals,
    St. Martin's Press, New York 1997
Fischer-Fabian, S., Alexander der Grosse, Der Traum vom Frieden
    der Völker, Bastei-Lübbe-Taschenbuch Band 64152,
    Bergisch Gladbach 1997
Friedman, Norman, Desert Victory, The War for Kuwait,
    Naval Institute Press, Annapolis 1991
Farkas, Charles / De Backer, Philippe / Bain & Company, Inc.,
    Spitzenmanager und ihre Führungsstrategien,
    Campus Verlag, Frankfurt / New York 1996
Fuller, John Frederick Charles,
    The Generalship of Alexander the Great,
    Da Capo Press, New York 1960
Fuller, John Frederick Charles, Grant and Lee,
    A Study in Personality and Generalship,
    Indiana University Press, Bloomington 1982
Gardner, Howard (in collaboration with Laskin, Emma),
    Leading Minds, BasicBooks,
    Harper Collins Publishers, New York 1996
Garibaldi, Gérard, Stratégie concurrentielle,
    Les Editions d'Organisation, Paris 1995

Garratt, Bob, Developing Strategic Thought,
    Harper Collins, London 1996
Goleman, Daniel, Emotionale Intelligenz,
    Deutscher Taschenbuch Verlag, München 1997
Gross, Daniel, Forbes' Greatest Business Stories of all Time,
    John Wiley & Sons, Inc., New York / Chichester / Brisbane /
    Toronto / Singapore / Weinheim 1996
Hammer, Michael / Champy, James,
    Reengineering the Corporation, New York 1993
Hammond, Nicholas, The Genius of Alexander the Great,
    Duckworth & Co. Ltd., London 1997
Hanford, Phil, Developing Director and Executive Competencies
    in Strategic thinking, in: Developing Strategic Thought,
    herausgegeben von Bob Garratt, London 1996
Hart, Liddell B. H., The Real War 1914–1918,
    Little, Brown and Company, Boston / Toronto / London 1964
Heijden, Kees van der, Scenarios,
    The Art of Strategic Conversation,
    John Wiley & Sons, Chichester / New York 1996
Hendricks, Gay / Ludeman, Kate, Visionäres Management,
    Verlag Delphi bei Droemer Knaur, München 1997
Herwig, Holger H., Strategic Uncertainties of a Nation-State:
    Prussia-Germany, 1871–1918, in: The Making of Strategy,
    Cambridge University Press, 1994
Hilgard's Introduction to Psychology,
    Harcourt Brace, 12. Auflage, New York 1996
Höhler, Gertrud, Herzschlag der Sieger,
    Econ Verlag, Düsseldorf/ München, 1997
Hussey, David, A framework for Implementation,
    in: The Implementation Challenge,
    John Wiley & Sons, Chichester New York / Brisbane /
    Toronto / Singapore 1996
Kagan, Donald, Athenian Strategy in the Peloponnesian War,
    in: The Making of Strategy,
    Cambridge University Press, 1994

Keegan, John, The Mask of Command,
  Penguin Books, New York/London/Victoria/
  Ontario/Auckland 1988
Knox, MacGregor, Conclusion, Continuity and Revolution,
  in: The Making of Strategy,
  Cambridge University Press, 1994
Kotter, John P., Leading Change,
  Harvard Business School Press, Boston 1996
Kotter, John P., Matsushita Leadership, The Free Press,
  New York/London/Toronto/Sydney/Singapore 1997
Krause, Donald G., Die Kunst der Überlegenheit,
  Konfuzius' und Sun Tzus Prinzipien für Führungskräfte,
  Wirtschaftsverlag Carl Überreuter, Wien/Frankfurt 1997
Krockow von, Christian Graf, Die preussischen Brüder,
  Prinz Heinrich und Friedrich der Grosse,
  Deutsche Verlags-Anstalt, Stuttgart 1996
Lanning, Michael Lee, The 100 Most Influential Military Leaders,
  Robinson, London 1996/97
Lauffer, Siegfried, Alexander der Grosse,
  dtv Wissenschaft, 3. Auflage, München 1993
Lauffer, Siegfried, Alexander der Grosse,
  Persönlichkeit und Bedeutung, in: Erlebte Antike,
  dtv, München 1996
Lay, Rupert, Über die Kultur des Unternehmens,
  Econ Verlag, Düsseldorf/München 1997
Mainelli, Michael, Vision into Action:
  A Study of Corporate Culture, in: Hussey, David (Hrsg):
  Implementation Challenge, S. 117 – 134,
  John Wiley & Sons, Chichester/New York/Brisbane/
  Toronto/Singapore 1996
Malik, Fredmund, Wirksame Unternehmensaufsicht,
  Verlag Frankfurter Allgemeine, Frankfurt am Main 1997
Maslowsky, Peter, To the Edge of Greatness:
  The United States, 1783 – 1865, in: The Making of Strategy,
  Cambridge University Press, 1994

Mintzberg, Henry, The Rise and Fall of Strategic Planning,
    Prentice Hall, New York, 1994
Mintzberg, Henry, Strategic Thinking as «seeing»,
    in: Developing Strategic Thought,
    herausgegeben von Bob Garrat,
    Harper Collins, London 1996
Murphy, Emmett C., The Genius of Sitting Bull,
    Englewood Cliffs N. J. 1993
Murray, Williamson, The Collapse of Empire:
    British strategy, 1919 – 1945, in: The Making of Strategy,
    Cambridge University Press, 1994
Murray, Williamson, und Grimsley, Mark,
    Introduction: on Strategy, in: The Making of Strategy,
    Cambridge University Press, 1994
Musashi, Miyamoto, The book of five Rings,
    Bantam Books, New York, 1992
O'Brien, John Maxwell, Alexander the Great:
    The Invisible Enemy,
    Routledge, London/New York 1994
Oerter, Rolf/Montada, Leo, Entwicklungspsychologie,
    Beltz, Weinheim 1995
Oetting, Dirk W., Auftragstaktik,
    Frankfurt und Bonn 1993
Phillips, Donald T., Lincoln on Leadership,
    Warner Books, New York 1992
Plutarch, Heldenleben, hrsg. von Walter Rüegg,
    Scientia-Verlag, Zürich 1946
Price Waterhouse Change Integration Team,
    The Paradox Principles,
    Chicago/London/Singapore, 1996
Powell, Colin (with Joseph E. Persico), My American Journey,
    Random House, New York 1995
Ready, J. Lee, Arrogance on the Battlefield,
    A Primary Cause of Defeat 1775 – 1991,
    Arms and Armour Press (Cassell Group), London 1996

Renaud-Coulon, Annick, La Délegation de Pouvoir,
Dunod, Paris 1992

Schönpflug, Wolfgang und Ute, Psychologie,
Beltz, Weinheim 1995

Schur, Nathan, Kurze Geschichte der Menschheit,
Bastei Lübbe-Taschenbuch Band 64 125,
Bergisch Gladbach 1993

Sheffield, G. D. (Hrsg.), Leadership and Command,
The Anglo-American Military Experience since 1861,
Brassey's, London and Washington 1997

Simon, Hermann, Hidden Champions,
Harvard Business School Press, Boston 1996

Slim, William Joseph Viscount, Defeat into Victory, Papermac,
Macmillan Publishers, London 1986

Soland, Rolf, Zwischen Proletariern und Potentaten,
Bundesrat Heinrich Häberlin, 1868 – 1947,
und seine Tagebücher,
Verlag Neue Zürcher Zeitung, Zürich, 1997

Stahel, Albert A., Strategisch denken,
Hochschulverlag ETH, Zürich 1997

Steiger, Rudolf, Menschenorientierte Führung,
Huber Verlag, 10. Auflage, Frauenfeld 1997

Stoner, James A. F. / Freeman, R. E. / Gilbert, Daniel R.,
Management,
Engelwood Cliffs, New York 1995

Sullivan, Gordon R. / Harper, Michael V., Hope is not a Method,
What Business Leaders can learn from America's Army,
Random House, New York / Toronto 1996

Sworder, Colin, Hearing the Baby's Cry, it's all in the Thinking,
in: Developing Strategic Thought,
herausgegeben von Bob Garratt, London 1996

Tricker, Bob, From Manager to Director, Developing Corporate
Governor's Strategic Thinking, in: Developing Strategic
Thought, herausgegeben von Bob Garratt,
Harper Collins, London 1996

Tschirky, Hugo/Suter, Andreas, Führen mit Sinn und Erfolg,
　　Verlag Paul Haupt, Bern und Stuttgart 1990
Tuchman, Barbara W., Stilwell and the American Experience
　　in China 1911–45,
　　Bantam Books, 3 printings, New York 1972
Tuchman, Barbara W., The Guns of August,
　　Bantam Books, 15 printings, New York/Toronto/London/
　　Sydney/Auckland 1989
Uhle-Wettler, Franz, Auftragstaktik, in: Mars,
　　Jahrbuch für Wehrpolitik und Militärwesen, Jg. 1 1995,
　　Biblio Verlag, Osnabrück 1995
Waterman, Robert, Die neue Suche nach Spitzenleistungen,
　　Düsseldorf/Wien/New York/Moskau 1994
White, Randall P./Hodgson, Philip/Crainer, Stuart,
　　Überlebensfaktor Führung,
　　Signum Verlag, Wien 1997
Wille, Fritz, Führungsgrundsätze in der Antike,
　　Schulthess Polygraphischer Verlag, Zürich 1992
Wille, Ulrich, Gesammelte Schriften,
　　Fretz & Wasmuth Verlag, 2. ergänzte Auflage, Zürich 1942
Yukl, Gary A., Leadership in Organizations, Prentice-Hall,
　　Englewood Cliffs N.J., 1989
Zwygart, Ulrich, Menschenführung im Spiegel
　　von Kriegserfahrungen,
　　Huber Verlag, 3. Auflage, Frauenfeld 1992
Zwygart, Ulrich, How Much Obedience Does an Officer Need?
　　Beck, Tresckow and Stauffenberg –
　　Examples of Integrity and Moral Courage for Today's
　　Officer; Combat Studies Institute;
　　U.S. Army Command and General Staff College,
　　Fort Leavenworth, Kansas 1993

Die Autoren

Georges Bindschedler, 1953 (auf dem Foto in der Mitte)
Dr. iur., Fürsprecher und Notar; CEO und Delegierter des
Verwaltungsrates der Von Graffenried Holding AG Bern,
der Dachgesellschaft der in der Vermögensverwaltung und
Beratung tätigen GR-Gruppe, Vize-Präsident der Berner
Tagblatt Medien AG.

Bruno Frick, 1953 (auf dem Foto rechts)
Rechtsanwalt und Notar, Inhaber einer Notariatskanzlei in
Einsiedeln und Mitinhaber einer Anwaltskanzlei in Pfäffikon
SZ; Oberstleutnant im Generalstab; Ständerat des Kantons
Schwyz (Christlich-Demokratische Volkspartei).

Ulrich Zwygart, 1953 (auf dem Foto links)
Dr. iur. Fürsprecher; Berufsoffizier, Oberst im Generalstab,
ehemaliger Kommandant der Panzerschulen und der
Offiziersschule der Mechanisierten und Leichten Truppen;
zurzeit Chef Kernteam Armee 200X und in der Miliz-
funktion Stabschef einer Panzerbrigade.